WAC BUNKO

元駐ウクライナ大使

馬渕睦夫が読み解く 2023年 世界の真実

安倍総理が育てた種が芽吹き始める

馬渕睦夫

WAC

はじめに――「日本人の覚醒」が世界を破局から救う

二〇二二年十一月八日に行われたアメリカ連邦議会の中間選挙がこれほど世界から注目されたことはなかったと言えます。アメリカのみならず日本も含めた世界の運命が決まる天下分け目の戦いだったからです。ところが、投票日から二週間がたった十一月二十日に至っても一部で集計が終了しておらず、まだ最終結果が出ていないという異常な状況にあります。現在メディアが報じるところでは、各種世論調査などの共和党圧勝との大方の事前の予想に反して、下院は共和党が辛勝、上院は民主党が十二月六日のジョージア州の再選挙結果を待たずに過半数を制したという状態にあります。

このような事態から言えることは、またしても民主党側による悪質な「不正選挙」が行われたという疑惑です。ただ、二〇二〇年の大統領選挙のような目に余る大規模な不正ではなく、前回の大統領選挙の際、不正疑惑で最後までもめた地区での熱烈なトランプ支持の共和党候補の当選を妨害するために様々な不正が行われた可能性です。

この取り敢えずの結果を巡って、米メディアが報じている両党の獲得議席数を基に行われている論評には注意が必要です。例えば、いわゆる「レッドウエーブ（共和党圧勝）」が起こらなかった理由について、「トランプが嫌われたせいだ」など、あくまでトランプ批判を続ける識者などの解説には、疑問を持たなければなりません。なぜなら、このような選挙結果を見てアメリカの有権者が今後どういう行動に出るかが、これからのアメリカの方向を占ううえで決定的に重要だからです。

ともかく、共和党が下院で過半数を取った結果、これまでのようなバイデン政権のウクライナ軍事支援の継続に一応ストップがかかった形になりました。ハルマゲドン開始三年目に当たる二〇二三年の世界は、ロシアとの全面戦争に至る事態はとりあえず回避できたと言えます。但し、新議会が発足する二〇二三年一月までに、ウクライナ戦争でバイデン側が核兵器使用を含む本格介入に出る可能性は否定できません。自らの核兵器使用をロシアの仕業にする彼らの得意な「偽旗作戦」です。

この見方を裏書きするように、依然としてロシアが核兵器を使用する可能性がメディアで報じられていますが、このこと自体バイデン側の情報戦であり、世論を洗脳するための予行演習とも言えます。このような「偽旗作戦」に馴染みが無い私たちですが、例えばノルドストリームパイプライン破壊事件を考えると、分かりやすいのではないかと思います。破壊工作を行ったのは米英の特殊部隊ですが、彼らはこれをロシアの仕業との洗脳工作を行いました。我が国メディアも素直にロシア犯人説を垂れ流していました。その後トラス英首相がブリンケン国務長官に破壊作戦が成功した旨をスマホで通報したのをロシアに盗聴されたことが、トラス辞任の原因になったとの説がまことしやかに流れました。しかし、これも一種の「偽旗作戦」で、トラス辞任の本当の理由を隠す目的によるものです。詳しくは本文をお読みください。

しかし、共和党の下院奪還をもってしても、二〇二二年中に世界で生じたウクライナ戦争の深刻な後遺症と共産主義文化革命の浸透に蝕まれた世界情勢が、急に好転する可能性は高くないといわざるを得ません。トランプ前大統領が表舞台で活躍する環境が改善されたとはいえ、ディープステートが開始したハルマゲドンの流れを直ちにせき止めることは、世界の大富豪の利権に反するからです。少しでもハルマゲドンの展開を押しとどめるためには、アメリカ議会（特に下院）とそれを応援するピープルの活動が、プーチン大統領との事実上の協力を進めることができるか否かにかかっていると言っても過言ではないでしょう。

この『世界の真実』シリーズは今回で五冊目となります。これから「二〇二三年の世界」を読み解くに当たり、二〇二二年の世界情勢を回顧する必要があります。特筆すべき事件は、二月のロシアによるウクライナ侵攻（ロシアによれば「軍事特殊作戦」）、十一月の米中間選挙における共和党の下院奪還、そして特にわが国に見られた左傾化現象です。我が国では、ウクライナ戦争善悪二元論に同調した偽保守の実態が暴かれたことが特筆されます。

各々の事件については本文で詳しく検証する予定ですが、二〇二一年十一月に刊行した『2022年世界の真実　静かなる第三次世界大戦が始まった』で予測した本年の情勢を振り返りたいと思います。中心はコロナ・パンデミックと気候変動を巡るディープステートの世界支配へ向けた謀略、世界の指導者の地位にふさわしくないバイデン大統領の脆弱な精神状況などに重点的に言及しました。また二〇二二年の見通しとして、「プーチン対反プーチン勢力の闘争」が激化することになろうが、東アジアでは中共の台湾侵攻や北朝鮮の暴発は起こる可能性は少ないと論じました。しかしながら、目に見えない形で「世界戦争」が勃発していることに警告を発し、二〇二二年には武力を伴う世界戦争に転換することも否定できないと見通しました。

実際、武力戦争が始まったのですが、二〇二一年十月の脱稿時点とはいえ、ロシアがウクライナに侵攻するとは予測できませんでした。その根拠は、プーチン大統領がディープステートの挑発に軽々に乗るはずがないとの確信からでした。但し、本文でも触れますが、プーチン大統領はディープステートの挑発に乗ってしまったわけではありません。ロシアがウクライナからの武力攻撃に晒《さら》される差し迫った危機に瀕していたから、自衛的措置として機先を制してウクライナに侵攻したのです。

最近（二〇二二年十一月現在）北朝鮮の相次ぐミサイル発射が朝鮮半島情勢を一挙に緊迫させています。加えて、毛沢東以来の共産党トップとして三選を果たした習近平総書記が政治局常務委員を側近で固めて独裁者になった結果、台湾侵攻が近づいたと警戒されています。

この状況は、一九五〇年一月のアチソン国務長官による「韓国と台湾はアメリカの防衛線の範囲外」との演説を彷彿させる事態に似通ってきています。前著で火薬庫としての北朝鮮の利用価値について触れましたが、二〇二三年に第二次朝鮮戦争が勃発すれば、アメリカが韓国と共に北朝鮮と戦う意思があるのかがカギを握ることとなります。いずれにせよ、その時には、わが国が有事になることは間違いないでしょう。

習近平の独裁政権誕生は、台湾侵攻の日程が早まったことを意味するかどうかは、慎重に判断する必要があります。中国が台湾を軍事的に征服することはそう簡単ではなく、中共軍がかなりてこずることが予想されます。胡錦濤前主席をメディアの前で議場から追い出した習近平の傲慢な姿勢は、党内の多数の反習近平派の恨みを買う結果にもなります。一見、習近平の権力が強化されたと見られますが、独裁の確立は権力崩壊の始まりをも意味します。二〇二三年は、台湾侵攻よりも中国の国内情勢に注目する必要があると思います。

「日本人の覚醒」が世界を破局から救うとはどういう意味なのでしょうか。本文で詳しく述べる予定ですが、安倍晋三総理は亡くなられたとはいえ安倍氏が育てた様々な種が二〇二三年に芽吹き始めることでしょう。これらの覚醒した日本人が安倍氏の遺言である「戦後レジームを脱却して、日本を取り戻す」大事業に取り組むことが予想されます。かつてのトランプ、プーチン、安倍の「鉄の三角協力」の事実上の再来です。安倍氏亡き後その遺志を継いだ日本人が安倍氏に代わりこの三角協力の一翼を占めることになるでしょう。

二〇二三年の世界は一層激動の年となりますが、同時に未来への希望が強く感じられる年ともなるでしょう。その鍵は、私たち日本人が世界史的使命に目覚めることにあります。読者の方々の気付きに期待する所以です。

令和四年十一月吉日

馬渕睦夫

馬渕睦夫が読み解く２０２３年世界の真実

安倍総理が育てた種が芽吹き始める

目次

第二章　習近平体制は二〇二五年まで生き残れるか？

取材協力／菅原昭悦
装幀／須川貴弘（ＷＡＣ装幀室）
ＤＴＰ／有限会社メディアネット

第一章

安倍元総理とエリザベス女王の「死」の衝撃

誰よりも「日本の国益」を追求した安倍晋三

二〇二二年二月のウクライナ「戦争」の勃発、七月の安倍晋三元総理の暗殺、九月の英エリザベス女王（注1）の死去、十月の中国共産党大会で習近平の三期目の確定（李克強の事実上の「失脚」）、そして十一月のアメリカ中間選挙（バイデン政権与党・民主党の下院での過半数喪失）と、二〇二二年には歴史的な出来事がいくつもありました。

ウクライナ戦争に関しては、二〇二二年四月に刊行した『ウクライナ紛争 歴史は繰り返す 戦争と革命を仕組んだのは誰だ』（ワック）でもいち早く分析をしましたから、まずは、日本にとって大事件だった安倍元総理の暗殺を振り返っておきたいと思います。

七月八日、安倍元総理凶弾に倒れるとの報を受けた時、心痛よりも前に聖書の一節が胸に浮かんできました。

「誠に誠に汝らに告げん。一粒の麦もし地に落ちて死なずば、ただ一つにてあらん。もし死なば、多くの実を結ぶべし」

学生時代に読んだドストエフスキーの『カラマーゾフの兄弟』の見開きにも載せられているこの不滅の警句は、私たちの生きざまの真髄を鋭く言い当てたものです。

安倍元総理の評価は、いろいろなところでなされました。八年八カ月という史上最長の在任期間における多大な功績を詳述できるほどの知識を、私は持ち合わせていません。しかし、特に外交分野での活躍ぶりなどを踏まえて、元総理の印象を述べたいと思います。

七月十二日に催された増上寺での告別式で、麻生太郎元総理が弔辞を述べられました。そのなかで印象的だったのは、安倍氏が「いかなる局面においても、日本という国家と国益を最優先する信念があった」と強調されたことです。この一言こそ、政治家安倍晋三の真骨頂を表しているのではないでしょうか。

安倍元総理が日本の国益を常に最優先する外交を行ってこられたことは、ロシアとの北方領土交渉を見ても明らかでした。ソ連時代のモスクワ勤務、またソ連崩壊に伴い独立したウクライナに大使として勤務した経験などに基づき、私は、外務省退官後は、ソ連崩壊後のロシアやウクライナなど旧ソ連圏の動向を執筆活動や講演、既存メディアやネット番組などを通じて発信してきました。その間、縁あって安倍氏に北方領土交渉をめぐって直接お話する機会に恵まれ、北方領土問題の解決に文字通り心血を注いでおられていたことを実感しました。

それは「戦後における日本の最大の懸案を解決し、後世に名を残したい」という政治家にありがちな野心からではなく、日本が置かれた地政学的位置から考えて、「日本の安全保障を強化するためには、ロシアとの関係改善が国益上必要である」という戦略的発想が強かったように思います。そして、安倍氏は単に日露間の関係だけでなく、グローバルな視点から日露両国の安全保障環境を改善しようと努められました。

日本のみならずロシアの安全保障にも強化をもたらす緊密な日露関係という視点こそ、ロシアという広大な国家の安全保障を双肩に担っているプーチン大統領の心をとらえたと考えます。つまり、二人の間には「国益を最優先する政治家同士」として、心に通じるものがあったと私は確信しています。

最終的には歯舞と色丹の二島返還に落ち着くはずでしたが、日米安保条約に基づき二島に米軍基地が置かれる可能性がネックとなって妥結に至らなかったといわれたこともあります。最後にお会いしたある勉強会で、この説の真偽のほどをお尋ねしたのですが、元総理は、この見方には同意されませんでした。安倍氏はロシア国内における二島返還に反対する勢力の存在がネックになったことを示唆されていました。これを伺って、私の疑問は氷解したのですが、安倍総理はロシアを見る際見落としてはならない重要な視点を示してくださったのです。

メディアはロシアにおける反プーチンデモや民主化運動を如何にもプーチン体制が危機に瀕しているがごとく誇大に報道する傾向にありますが、これらの所謂《いわゆる》反体制派はユダヤ系の活動家が中心です。反体制派のリーダーとしてメディアが持ち挙げているアレクセイ・ナワルヌイはユダヤ系なのですが、メディアは決してこの点には触れません。

ロシア側、特に軍部に二島における米軍基地設置に対する懸念が存在しなかったわけではないでしょう。しかし、この点が唯一の障害であったのなら、かつて沖縄返還の際に有事の核持ち込みに関して佐藤総理とニクソン大統領との間で交わされた密約書簡の例に倣い、安倍総理とプーチン大統領との間で米軍基地を置かない旨の密約書簡を交換する手があったはずです。しかしながら、ロシア国内に隠然たる勢力を保持しているユダヤ系の政治家や経済人などの有力者の強い反対を押し切るには、プーチン大統領といえども容易ではなかったことを窺わせて興味がつきません。

結局、ロシア国内及びアメリカ国内のユダヤ系勢力の横やりが、北方領土交渉が妥結に至らなかった原因であると、現段階では見なすことができそうです。この点は、今後の北方領土交渉において、日露関係強化を警戒するユダヤ系勢力の動向を常に念頭に置いて慎重に進めるべきであるとの貴重な教訓と言えます。翻って、今回のウクライナ戦争において、ロシア国内に見られる種々の不協和音も、ユダヤ系勢力がプーチン氏の一人勝ちを牽制していると考えれば、辻褄が合うのです。

いずれにせよ、安倍氏は退任後も様々なルートでロシアとのコンタクトを続けられていたように見受けられました。わが国の安全保障を考えた場合、ロシアとの関係を緊密化することはわが国の外交の幅を広げることになります。安倍総理のこのような表で脚光を浴びない静かな行動の中にも、国の将来を思う熱い心情を感じることができました。

最後に世界的政治家としての安倍氏を物語るエピソードを、駐米大使を務めた杉山晋輔氏の外務省の会報誌への寄稿を基に紹介します。二〇一四年六月にロシアで開催される予定であったG-8首脳会議はクリミア併合のためキャンセルされ、代わりにEU本部があるブリュッセルで開かれたG-7首脳会議での出来事です。議長を務めたのはドイツのメルケル首相でしたが、会議はオバマ大統領が事前の事務レベルでの了解を無視して突然ウクライナ問題に関して強いメッセージを出すべきだとして具体案を説明したことで紛糾しました。

各首脳の間で喧々諤々の議論が行われて収拾がつかなくなったとき、安倍総理が発言を求めて、重要なことはG-7が団結している姿勢を示すことであり、各首脳の発言を最大公約数的な四点に纏めたので、これをG-7首脳のメッセージとして出したらどうかと提案。さらに各国首脳が発言しそうになったのをメルケル首相が遮《さえぎ》って、安倍提案をコンセンサスとすると仕切って議事を終了させたのです。終了後にオバマ大統領もメルケル首相も安倍総理に深い感謝の意を表したのは当然のことだと感じました。オバマ大統領は自らの提案がともかくも結実したことで世界の指導者としての面子が立ったし、メルケル首相は議長として会議を纏《まと》める責務を全う出来たわけですから。この時の安倍総理の振る舞いが、二〇一六年六月のオバマ大統領の歴史的な広島訪問に結びついたと見ることもできるでしょう。

また、ロシアのプーチン大統領は、安倍氏のG-7首脳会議での活躍ぶりを十分情報収集していたはずです。その後も北方領土交渉は続けられましたし、ウクライナ問題を巡って安倍総理の手腕に期待していた節が窺えました。例えば、安倍総理はウクライナ訪問時に二千億円の経済協力を発表しましたが、ロシアはこれを内心では歓迎した節が窺えます。ウクライナ国内情勢の安定がロシアの安全にとって重要だからでした。このように、安倍総理はロシアの心情を良く理解されていたと思います。

注1　エリザベス二世（一九二六～二〇二二年）　ウィンザー朝の第四代女王（在位は一九五二

年〜二〇二二年）。連合王国、王室属領、海外領土の君主であるとともに、英連邦に属する諸国の元首でもあった。イギリスの歴代王の中で、最高齢かつ最長在位となったが、二〇二二年九月八日、滞在していたスコットランドのバルモラル城で亡くなった。夫のフィリップ・マウントバッテンとの間に、三人の王子と一人の王女をもうけている。

歴史教科書などで取り上げられるほぼ唯一の日本の政治家

保守層の一部から、安倍氏の歴史認識やグローバル化政策に対して批判が高まったことがありました。

歴史認識問題については、特に二〇一五年の戦後「七十年談話」と韓国との慰安婦合意です。七十年談話は先の大戦が日本の誤りであったことを改めて認めたことが槍玉に挙がり、慰安婦合意は政府が韓国の女性基金に十億円を拠出したことなどが厳しい非難を受けました。

グローバル化政策に関しては、外遊先の英米などで日本市場の開放を強調したスピーチや、外国人労働者受け入れ拡大などが激しい批判の対象となりました。

また、ＴＰＰ（注1）にしても、批判する保守の人たちがいました。当時の民主党政権（日本）にいわば最後通牒的な圧力をかけるため、アメリカからキッシンジャー（注2）が来日しＴＰＰ参加を強要しましたが、民主党もアメリカの圧力には屈服せざるを得なかったのです。結局、そのアメリカがトランプ大統領になってからＴＰＰから脱退しました。それを見ればＴＰＰの本質は明らかで、民主党政権のＴＰＰ政策を引き継いだ安倍元総理も「ＴＰＰの罠」がよくわかっていたはずです。

これらの安倍元総理が採ったグローバル的な政策は世界の真の支配者との「妥協の産物」だと、私は理解しています。そして、それは日本国家の存続の保証と死守すべき国益とのギリギリの選択であり、譲ってはならない最後の国益は譲っていなかったと思います。

先に挙げた増上寺における麻生元総理の弔辞に、「持ち前のセンスと、守るべき一線は譲らないとの類まれなる胆力」が安倍氏にあったという一節があります。これは「一線を守ることができれば相手と妥協し、事を穏便に収める才に長《た》けておられた」

ことを示唆するものです。

ところが、これらを捉えて、安倍総理はナショナリストではなくグローバリストだと批判して憚らない保守系の言論人たちが少なくありません。このような言論人は、左翼リベラルが得意とする「キャンセル・カルチャー」（過去の言動を掘り起こし、それらを理由に対象の人物を追放する、現代における排斥の形態の一つ）の罠に落ちているといわざるを得ません。

政治とは、詰まるところ妥協です。但し、妥協が成立するためには双方の主張を足して二で割る方法ではなく、また清濁併せ呑むといった豪傑的対応を言うのでもありません。日本の国益を「五一％」死守することができれば、「四九％」を妥協して、相手国との関係を穏便に収めることを、安倍元総理は旨とされていたと拝察します。だからこそ、麻生氏の弔辞にあるように、世界各国の首脳からも一目置かれ、日本の存在感を飛躍的に高めることができたのです。総理退任後、事あるごとに安倍氏の意見を聞きたいという各国首脳が多かったことも頷けます。また、暗殺後にさまざまな首脳が等しく、その外交手腕を高く評価し、追悼するメッセージを出したのも当然のことでした。儀礼的な追悼文は別にして、親しい交流のあった首脳たちからは心のこもったメッセージが寄せられました。その中でもモディ・インド首相と、プーチン大統領の弔電を紹介しておきます。

●モディ首相――安倍さんの温かい人柄や知力、優雅な佇まいや寛大さ、そして友情と指導に、これまでも、そしてこれからも感謝し続けます。安倍さんに会えなくなるのはとても寂しい。

●プーチン大統領（安倍洋子、安倍昭恵夫人宛）――晋三とは定期的に連絡を取り合っていましたが、素晴らしい人格と専門的な資質を十分に発揮されていました。この素晴らしい人物の良き思い出は、彼を知る全ての人の心に永遠に残ることでしょう。

安倍総理が世界的存在であったということは、日本も日本人も世界的存在として世界の評価が上がったわけです。安倍総理は今後世界の歴史教科書などで取り上げられるほぼ唯一の日本の政治家となられるのではと想像されます。世界の高い評価に応えるためにも、国葬が行われたことは当然のことでした。日本人のプライドをかけた国葬であったのです。

二〇二二年七月十四日の産経新聞紙上で、阿比留瑠比論説委員は、昭恵夫人が葬儀の際に「(安倍元総理は)種をいっぱい蒔いているので、それが芽吹くことでしょう」と述べたと紹介して、安倍元総理は多くの同志たちに日本の将来を託したのだろうと指摘しました。そして、「後来(将来)の種子として未来につながってゆく」との吉田松陰(注3)の刑死を前にした同志への呼びかけや、前述した聖書の「一粒の麦もし地に落ちて死なずば」を引用しながら、長期政権を担った安倍氏の言動を見て育った政治家に「是非芽吹いてほしい」と訴えておられます。

阿比留氏の訴えに加えれば、芽吹くべきは安倍氏周辺の政治家だけでなく、多くの国民でもあるでしょう。むしろ、安倍氏を悼んで奈良の西大寺駅前などに設けられた献花台や増上寺の葬儀場、そして国葬の一般献花に臨んだ多くの国民のなかで、すでに芽が吹き始めているといえます。暗殺直後の参議院選挙で自民党が勝利したのも、保守の参政党が躍進したのも、戦後レジームの矛盾に気づいたピープルの目覚めであったように思います。

吉田松陰の小さな松下村塾が明治維新胎動の源になったように、「戦後レジームを脱却して、日本を取り戻す」という安倍元総理の悲願を実現するには、国民自身の目覚めが必要なのです。

安倍氏の死を契機として、国民一人一人が心の中に自分なりの「松下村塾」を立ち上げ、安倍氏の悲願であると同時に日本国民の悲願でもある大プロジェクトを必ず成功させたいものです。

繰り返しますが、今問われているのは国民一人一人の実践にほかなりません。たとえ自分の心の中の小さな私塾であろうとも、津々浦々に実践者が現れれば大きなうねりとなって良き日本を取り戻すことができるはずです。

すでにその兆しは国民の方々から寄せられた追悼文に見出すことができます。安倍総理の支持母体であった「日本会議」の安倍総理追悼特集号には政界のみならず経済界、学界の他一般の言論人などの方々からの追悼メッセージが掲載されていましたが、政治家としての功績に加えて一般の方々の安倍総理の人となりへの思いが印象的でした。最高権力者であるにもかかわらず決して偉ぶらず、真の強さからくる優しさを備えた人柄、日本国家と国民を愛した謙虚な情熱、人間的品格から生み出された美しい笑顔、どのような時にあっても日本人としての軸を失わなかった生き方、数えきれない素養、外国語に堪能であっても日本を主張できなかった高級官僚と異なり、臆せず日本の見解を主張した信念、正統に殉じた魂等々、政治的功績に決して劣らない精神的レガシーがよく窺えました。安倍総理の遺志は一般のピープルにこそしっかりと受け継がれていることが実感できました。

注1　ＴＰＰ　「環太平洋パートナーシップ協定」（Trans-Pacific Partnership）の略称。オーストラリア、ブルネイ、カナダ、チリ、日本、マレーシア、メキシコ、ニュージーランド、ペルー、シンガポール、ベトナム、アメリカの十二カ国間で進められた経済連携協定。二〇一七年にアメリカが離脱すると、残る十一カ国が協定を見直して、二〇一八年に「環太平洋パートナーシップに関する包括的及び先進的な協定」（Comprehensive and Progressive Agreement for Trans-Pacific Partnership　略称はＣＰＴＰＰ）が発効した。

注2　ヘンリー・キッシンジャー（一九二三年〜）　アメリカの国際政治学者。ニクソン政権とフォード政権で国家安全保障問題担当大統領補佐官、国務長官を務めた。一九七三年にノーベル平和賞を受賞。

注3　吉田松陰（一八三〇〜五九年）　長州藩の思想家、教育者。安政の大獄に連座し、幕閣襲撃計画に関わったとして死罪となったが、藩校の明倫館と私塾の松下村塾での教え子から、桂小五郎（木戸孝允）、山縣有朋、伊藤博文、品川弥二郎、山田顕義など、明治政府を担う人々が出ている。

安倍元総理が脱しようとした「戦後レジーム」とは何か

外交における安倍元総理の遺産として、「自由で開かれたインド・太平洋」（注1）と「クワッド」（注2）が取り上げられます。

「自由で開かれたインド・太平洋」の下敷きになったのが「自由と繁栄の弧」です。

麻生元総理の外相時代の構想ということになっていますが、実際には外務省の谷内正太郎事務次官（注3）が企画し、当時の安倍総理と麻生外相の了解を得て、麻生構想として打ち上げました。これは、戦後の日本で初めての戦略的な外交構想でした。

簡単に言えば、旧ソ連邦から独立した諸国から朝鮮半島に至る弧を描いた様な不安定な地域に、自由と繁栄と民主主義を齎《もたら》すために、日本が積極的に協力するという壮大な構想でした。この構想は企画者が意図したか否かはともかく、わが国の伝統的価値観である国を栄えさせて纏めるという天照大神の天壌無窮の神勅の精神を体現したものです。この「自由と繁栄の弧」の精神の延長線上に「自由で開かれたインド・太平洋」があります。

「自由で開かれたインド・太平洋」と「クワッド」は、安全保障面での協力の色彩が強く、それゆえ中国や北朝鮮を封じ込めるためのものと、誤解されがちです。しかし、安倍元総理は「中国封じ込め」とはおっしゃっていません。この地域に安定を齎すことが主眼です。安定、つまり繁栄の基礎こそ諸国に平和を齎すからです。

中国のアグレッシブな外交にどう対抗するかという視線が強調されがちですが、軍事面の偏重はわが国の伝統的価値観に合致しません。関係諸国との軍事面での協力が重要なことを否定するものではありませんが、そうした発想の根底にある地域の安定と繁栄という側面を重視することが必要でしょう。わが国外交の哲学は世界の調和的共存にあるはずですから。

北朝鮮に対してどう対処するかは、依然として困難な課題です。なぜなら、北朝鮮は単なる独立した共産主義国ではないからです。世界のならず者国家と見なされている北朝鮮が、なぜ今日まで存在しているのかという根本的な疑問に答えを出す必要があります。

ご承知のように、北朝鮮はGDPで七百倍以上も大きい――軍事力の差は比較になりません――アメリカとほぼ対等に外交をやっているかのように宣伝されていますが、先ずこのようなフェイクニュースを見破らなければなりません。「北朝鮮は強《したた》かだ」「外交上手だ」という報道に洗脳されてきましたが、距離を置いて考える必要があります。結論から言えば、北朝鮮のバックにアメリカ――もっといえば、国際金融資本、ネオコン、CIA――がいるから、北朝鮮は存続を許されているわけです。トラブルメーカーとして利用できる北朝鮮、テロ、麻薬、偽札、マネーロンダリング等々自分たちにとって必要な様々な悪行を代わりにやってくれる国として利用できる北朝鮮。何故、独裁者の金一家が金融王国スイスに留学するのか、そのことを考えるだけでも北朝鮮の秘密のベールをはがす一歩になるわけです。

われわれは騙されているのですが、一九九四年のカーター・金日成合意で、アメリカは北朝鮮の核武装を認めたのです。そして、KEDO（注4）の片棒を日本は担《かつ》がされ、資金を提供することになりました。

かつてブレジンスキー（注5）は、「日本はカナダのようなインターナショナルな存在になるべきだ。リージョナルパワーにしない」という趣旨のことを語っています。その意味するところは、「国際情勢において権力行使をせず、いわれるままに金を出しなさい」ということであり、要は「独立国」として認めていないのです。

実際、日本はずっとお金を出させられてきました。典型的な例が湾岸戦争（注6）で、経済援助と称するものを含めて、百三十億ドルを払いました。

クウェートが出した支援した国への御礼広告に日本が入っていなかったのは、よく知られている話ですが、何も感謝されないどころか、「日本はToo little too lateだ」といわれたりもしました。要するに、「もっと早く、もっとたくさん金を出せ」ということです。この状態が、安倍元総理の脱しようとした「戦後レジーム」です。

注1　自由で開かれたインド・太平洋構想　二〇一二年に安倍晋三首相が発表した「セキュリティダイヤモンド構想」を、アメリカのトランプ政権が取り入れた安全保障協力の枠組みである。中核はアメリカ、日本、オーストラリア、インドの民主主義国であり、中国の海洋進出抑止を意図している。なお、アジア再保証イニシアチブ法案は二〇一八年十二月、アメリカの上下両院で可決され、トランプ大統領が署名した。インド・太平洋地域におけるアメリカの覇権を再び安定させる規範を示し、また「自由で開かれたインド・太平洋構想」の実現を目指して、安全保障などの促進を定めている。

注2　クワッド（QUAD）　日本、アメリカ、オーストラリア、インドの四カ国による戦略対話の通称。第一次安倍晋三内閣の「自由と繁栄の弧」から始まり、日本で民主党政権、オーストラリアでラッド政権が発足して頓挫しかけたが、第二次安倍内閣、ギラード政権によって復活した。

注3　谷内正太郎（一九四四年〜）　日本の外交官。二〇〇五年から二〇〇八年まで外務事務次官を務め、内閣官房参与、初代国家安全保障局長、内閣特別顧問を歴任した。

注4　朝鮮半島エネルギー開発機構（KEDO）　北朝鮮の黒鉛減速型炉と核兵器開発計画を放棄させる目的で、一九九四年の米朝枠組み合意に基づいてつくられた組織。日本と韓国が費用を負担し、核兵器開発の危険性が低い軽水炉と、それができるまでの間に使う重油を提供することになったが、北朝鮮が核兵器開発を止めなかったため二〇〇五年に終了した。

注5　ズビグニュー・ブレジンスキー（一九二八〜二〇一七年）　ポーランド出身の政治学者。ジミー・カーター大統領の国家安全保障問題担当補佐官を務め、ジョンズ・ホプキンス大学高等国際問題研究大学院教授、戦略国際問題研究所顧問に就任。民主党の外交政策に影響を与えた。翻訳されている著書に、『ひよわな花・日本』（サイマル出版会）、『孤独な帝国アメリカ』（朝日新聞社）、『ブッシュが壊したアメリカ』（徳間書店）などがある。

注6　湾岸戦争　一九九〇年八月のイラクによるクウェート侵攻で始まり、一九九一年一月からアメリカを主力とする多国籍軍がイラクを攻撃、四月に和平が成立した。

安倍元総理暗殺事件の不審点

　ところで、見落としてはいけないのですが、今回の安倍元総理暗殺事件は、一九六三年十一月二十二日のケネディ大統領の暗殺を彷彿させるものがあります。白昼、テキサス州ダラスで車でパレード中、共産主義者オズワルドに射殺されたとされる事件ですが、ケネディ大統領は後ろからだけではなく前からも撃たれています。オズワルドは後ろから撃ち、それが背中に命中しているから、それなりのスナイパーだったのでしょう。だから選ばれたと思うけれど、オズワルドの放った銃弾が致命傷ではなく、致命傷は前から撃たれた弾でした。ケネディはまず前に倒れ、その後で顔を上げたところに前から撃たれた弾があたった。だから、最後は後ろに倒れています。これは映像が残っていて、今でもチェックできます。

　この事実を以てしても、後方のビルに潜んでいたオズワルドの単独犯でないことは明白です。また、ケネディを乗せたオープンカーが速度を落とさざるを得ないような不自然なパレード・ルートが採用されていました。

さらにいえば、ケネディ暗殺に関する公式のウォーレン（最高裁判所長官）調査報告書は作成から七十五年後の二〇三九年に開示されることになっています。そもそも、七十五年経たないと公開できないこと自体、ケネディ暗殺には深い闇があることを窺わせます。現に、オズワルドは口封じのためか、警察署内で酒場経営者の男にピストルで射殺されました。このようなケネディ暗殺と共通した深い闇の存在が、今回の安倍元総理射殺事件から感じ取れるのです。

まだ全体の情報が不十分なので、現段階で安倍元総理射殺事件の真相を断定的に云々するのは早すぎます。それでも、すでに判明している様々な不審点から、逮捕された山上徹也容疑者の単独犯行ではないことが明らかになりつつあります。

その一つは、通常考えられない、あまりにも杜撰な警備状態です。たまたま警備が手薄になっていて、後ろから近づくことができ、しかも最初の一発は煙が出て、何も影響なかった。それで警護の人たちがみんな山上容疑者の方にいってしまい、誰も安倍元総理に覆い被さるようなケアをしなかった。これは要人警護として、考えられません。仮にも異音が聞こえたら、彼らがやることは、安倍元総理を囲み、自分たちが盾になることです。

テレビで放送されたのは、山上容疑者が一発目を撃って煙が出た後、安倍元総理が地面に横たわって心臓マッサージを受けているシーンでした。この映像を見ると如何にも山上が撃った弾に倒れたように見えます。しかし、これは時間的に連続した映像ではありません。その間の時間に何があったのかが映っていません。このように、TV映像がカットされたとすれば、安倍元総理は山上以外の誰かに上方前方から撃たれたとの説が説得力を持つのです。

当然のことながら、映像のカットはテレビ局を巻き込んでやらないとできません。また、警察がグルだったなら、警察をもコントロールできる勢力がいるということになります。メディアや警察を巻き込むオペレーションができるのは、どこかの国の情報機関が絡んだときです。これは世界の暗殺の歴史を見たらわかります。

ケネディ暗殺にしても、情報機関が絡まなければできないというのが、多くの専門家の見方です。ＣＩＡ（アメリカ中央情報局）とＦＢＩ（アメリカ連邦捜査局）に加えて、イギリスのＭＩ６が絡んでいると主張する調査報道などが見られます。安倍元総理の暗殺もまた、情報機関が絡まなければできないと見ることは否定できないのではないでしょうか。

いずれにしても、安倍元総理の暗殺事件でメディアなどが一斉にクローズアップした問題がかえって謀殺説を補強する材料になっているのです。

一つは前述した「警護の不備」です。この件では、警察庁長官と奈良県警の本部長が辞任したこともあって、そこで国民の関心は薄らいだようです。

もう一つは旧統一教会問題。これは国会の場でも執拗に追及されていますが、暗殺事件の本質を隠すために利用されていると思われます。常識で考えても、旧統一教会に自分の母が食い物にされたからといって、それがなぜ安倍元総理を殺す動機になるのでしょうか。

将来、山上容疑者が精神異常者にされるか、拘置所で自殺するか……、どちらかで幕引きが図られたら、真実は永遠にわからないままで終わるでしょう。

安倍元総理の二〇二二年九月二十七日の武道館での国葬について、メディアなどの世論調査で反対が賛成より多かったとのことですが、国葬当日の一般向けの献花台への国民の長蛇の列を見れば、安倍氏の名声を貶めるだけのメディアによる印象操作であった可能性が強いでしょう。

それはさておき、先述したように、メディアや野党に口汚く非難中傷されてきたにもかかわらず、多くの国民が安倍氏の逝去を悼み感謝の気持ちを多く表明した事実は、彼らが何かに気づいたということを暗示しているように思えてなりません。この気付きこそ、これから予想される未曾有の国難を乗り切る上で、最大の切り札となるでしょう。

今後とも、安倍氏を尊ぶ姿勢を日本全体で示し続けなければなりません。それが「日本を取り戻す」ことにつながります。

「契約王朝」（英国）と「君民一体王朝」（日本）の違い

安倍元総理の死から丁度二カ月後の九月八日、イギリスのエリザベス女王が老衰で亡くなりました。享年96歳。七十年という長きにわたって在位され、エリザベス女王以外のイギリス国王を知らないイギリス国民はかなりの数にのぼるはずです。

亡くなられてから十一日後の二〇二二年九月十九日に、エリザベス女王の国葬が営まれました。日本からは天皇・皇后両陛下が参列されましたが、アメリカのバイデン大統領など、各国の元首らが多数ロンドンを訪れて、弔問外交が繰り広げられました。

安倍元総理の国葬は約一週間後の九月二十七日だったから、弔問外交ということでは、二番煎じになってしまった観が否めません。参列予定だったカナダのトルドー首相が国内事情でキャンセルしたことは残念でしたが、それでもインドのモディ首相やオーストラリアのアルバニージー首相他歴代首相、カマラ・ハリス副大統領などが参列し、しめやかに国葬が執り行われました。

さて、改めてイギリスに目を向けると、新国王としてチャールズ三世が即位しましたが、気になるのは「チャールズ」という名前です。なぜ、気になるかというと、この名前には血塗られた歴史があるからです。

チャールズ一世（注1）はピューリタン革命で斬首刑に遭いました。イギリスの国王で処刑されたのはチャールズ一世のみです。また、チャールズ一世の遺児のチャールズ二世（注2）は王政復古でイギリス国王に返り咲きましたが、放蕩が止まず、しかもカソリック信仰を告白するなど、後の名誉革命に通じる王室の混乱を招いた張本人として生涯を終えました。新国王のチャールズ三世は変更することが可能であったにもかかわらず敢えて不吉な歴史を持つチャールズの名を皇太子時代からそのまま引き継いだのは、何か特別の理由があったのか、興味をそそる所です。イギリス人に取って「チャールズ」国王は何か不吉な未来を予感させる名前であることは、今後の王室の動向を見る上で、考慮しておくべきでしょう。

私の眼に触れた記事の中には、「イギリス王室はこれで最後になるのではないか」という視点から書かれたものもありました。それがどれだけ根拠のあることなのかはわかりませんが、イギリスの場合、「契約王朝」という性質があります。だから、かつて「契約違反」だといって国王を処刑することができたのです。今度も契約違反だとして、チャールズ三世を引き下ろす動きが起こりえるのではないか。それを示唆しているると思えてなりません。

エリザベス女王が亡くなる直前に信任したリズ・トラス英国首相は、就任してからわずか四五日目に党内での反発を抑えきれなくなって「辞任」することを表明しました。彼女の跡を継いだ新首相リシ・スナクがイギリスの舵取りに成功するかどうかについては多々疑問が出てきます。なぜなら、トラス首相の唐突の辞任の理由です。表向きは経済政策に失敗して市場の信任を失ったことが挙げられていますが、そもそも一カ月半という短期間に辞任しなければならない緊急性に欠けます。また、党内のグローバリスト、すなわちEU残留派の反乱にあったとの解説もありますが、それなら一カ月半前の党首選の際にトラス候補に反対しておけばよかっただけの話です。どうもそれら以外に差し迫った理由があったとしか考えられません。

米中間選挙の直前というタイミングから考えれば、考えられるのはウクライナ戦争における核兵器使用を巡るアメリカとの意見の相違ではなかったかということです。バイデン政権は盛んにロシアがウクライナで核兵器を使う可能性があると警告していました。常識的に考えれば、この段階でロシアが核を使用するメリットはありません。これはネオコンの常套手段である「偽旗作戦」の可能性が強いのです。つまり、中間選挙で民主党を有利にする工作の一環として、アメリカが戦術核兵器を使用し、それをロシアが使ったとの情報を世界に流してプーチン非難を高めるという工作です。「偽旗作戦」を十分心得ているプーチンは先手を取って十月二十二日に米、英、仏に対してこれらの国が核兵器使用を考えているとの警告を発しました。もちろん三カ国は事実無根と反論しましたが、このやり取りは米英側が核兵器使用を考慮していたことを窺わせます。恐らくトラス首相はアメリカから核使用の打診を受けて拒否したのではないかと想像されます。それ故に、急いで更迭する必要があったと考えると辻褄が合うわけです（辞意表明は十月二十日）。いずれにせよ、中間選挙までに核兵器が使用されることはありませんでした。しかし、ウクライナ戦争を巡り、今後、米英がこれまでのように緊密な協力を続けることができるのか、スナク政権の前途が多難であることは論を待たないところです。

ともあれ、もし、イギリス国王が廃されたら、それは王室の問題に止まらず、結果的にはイギリスが分裂する方向にいく可能性も考えられます。

イギリスは、イングランド、スコットランド、ウエールズ、北アイルランドの四国による連合王国であり、どこかで箍《たが》が外れたら、四つの国がバラバラになる危険は否めないのです。

ところで、「ヨーロッパの王室なみに、日本の皇室も開かれるべきだ」という人たちがいます。しかし、日本の皇室はヨーロッパの王室とは違います。先ほども述べたように、イギリスはいろいろな貴族のなかから「王」が立ち、議会との間で契約を結ぶことによって、王として君臨しました。だから、その契約を破った王を処刑してもいいし、追い出してもいい。しかし、日本は天皇と民が契約しているわけではありません。われわれが存在する以前から皇室があり、われわれの先祖です。天皇は国民を大御宝として慈しみ、国民は天皇を敬愛してその御業を支える、これが日本の「君民一体」の國体なのです。天皇と国民の間に利害の衝突が無い信頼関係があるのです。その点が、ヨーロッパの王室と根本的に違います。

安倍元総理の遺言である「日本を取り戻す」とは、「君民一体の精神を取り戻す」ことになるのです。

注1　チャールズ一世（一六〇〇～四九年）　ステュアート朝のイングランド・スコットランド・アイルランドの王（在位は一六二五～一六四九年）。議会と対立し、清教徒革命で敗れて処刑された。

注2　チャールズ二世（一六三〇～八五年）　清教徒革命後のクロムウェル独裁が終わった後、王政復古によって即位したイギリス国王。カトリック復興を策したために議会と対立した。

イギリスは人種差別主義が強い

エリザベス女王が亡くなる直前の二〇二二年九月五日、前述したように、ジョンソン首相の後を受けてリズ・トラスが首相に就任したのですが、十月二十日に辞任を表明し、イギリスの首相がめまぐるしく交代しています。一昔前の、一年足らずで次々と首相が交代した日本を彷彿させます。

では、新しいスナク首相の下でイギリスは変わるのか。EU脱退後のイギリスが抱える課題は同じで、基本的には変わらないでしょう。

イギリスはEUから脱退したことで、今回のウクライナ戦争においてEUとは一線を画してアメリカと一緒になって厳しい対露態度を取りウクライナ支援を行っています。スナク首相も十一月十九日にウクライナ（キーウ）を訪れ、ゼレンスキー大統領と会談し、追加支援（八十三億円）を表明しました。これはイギリスがロシアにエネルギーを依存していないからできることではありますが、アメリカ（ネオコン）の利害と一致しない場合にどう振る舞うかという課題は残ったままです。

また、イギリスは安全保障面で「インド・太平洋」を重視する方向に転換したと見られます。実際、二〇二一年九月には、クイーン・エリザベス艦隊が日本に寄港しました。しかし、イギリスの真意はどこにあるのか、日英同盟の復活と喜んでばかりいることには、慎重であるべきです。日英同盟には日本とロシアを離反させるというイギリスの強《したた》かな戦略が隠されていました。日英同盟の故に、日本が必要以上にロシアと敵対する破目に陥った側面があることを無視してはなりません。

今後、イギリスとわが国の安全保障面の利害が一致する点では協力関係の強化は問題ありませんが、イギリスがかつてのアジアの植民地に何をしたかを考慮に入れながら、アジア植民地を解放したわが国の歴史的成果と相いれない事項はイギリスに糺《ただ》す気概がないと、日英協力はアジア諸国に不信感を呼び起こす危険が内包されていると言えます。

かつて世界の一流国イギリスが日本と同盟してくれたとして、日本にはイギリスに対する憧れのようなものがあると思われます。しかし、イギリスの有色人種を見る目が根本的に改まったかどうかは、もう少し時間をかけてみる必要があります。

イギリス政府は、第二次世界大戦中、イギリス人捕虜が日本の収容所で虐待されたと非難し、捕虜たちも昭和天皇のイギリス訪問（一九七一年）の際に抗議活動をするなど、最近まで両国間の懸案になっていました。

では、彼らは日本兵に何をやったのか。捕虜にしたら、食糧を与えなければいけない。それはもったいないということで、捕まえた日本人の一部を、捕虜とせずに殺してもいるのです。米国も同様のことをしていました。

さらにいえば、当時のイギリス人は、日本人を人間と見ていなかったことが、会田雄次氏の『アーロン収容所』（中公新書）に記されています。ビルマで降伏し、会田氏たちはアーロン収容所に入れられ、いろいろと使役されるのですが、「英軍兵舎に入るときは、たとえ便所であろうとノックの必要はない」といわれたそうです。その理由を会田氏は、こう記しています。

「ノックされるととんでもない恰好をしているときなど身仕度をしてから答えねばならない。捕虜やビルマ人にそんなことをする必要がないからだ。イギリス人は大小の用便中でも私たちが掃除に入っても平気であった」

また、使役の中に「英軍の女兵舎の掃除」があり、会田氏は次のようなシーンに遭遇したというのです。

「私は部屋に入り掃除をしようとしておどろいた。一人の女が全裸で鏡の前に立って髪をすいていたからである。ドアの音にうしろをふりむいたが、日本兵であることを知るとそのまま何事もなかったようにまた髪をくしけずりはじめた。（中略）裸の女は髪をすき終わると下着をつけ、そのまま寝台に横になってタバコを吸いはじめた。入ってきたのがもし白人だったら、女たちはかなきり声をあげ大変な騒ぎになったことと思われる。しかし日本人だったので、彼女らはまったくその存在を無視していたのである」

犬や猫の前で裸になっても恥ずかしくない。それと同じだろうというような分析を会田氏は記しています。

この本はイギリスでは非難の対象にもなったほどで、人種問題の難しさを示しています。現在のイギリスが当時と同じ人種差別感情を持っているとは思いたくありませんが、一皮むけば人種というわば人間の性が表に現れてくることを、人種問題を歴史的にあまり経験してこなかった私たちは心得ておく必要があります。

現在のイギリスにとって問題なのは、旧植民地に対する高慢な姿勢です。例えば、ミャンマー問題が典型的です。

今、ミャンマー（旧ビルマ）の軍政は人権侵害をやっていると、旧宗主国のイギリスはことさら強く非難します。しかし、ミャンマーで最も人権を侵害したのはイギリスでした。当時のビルマ統治で、イギリスは少数民族の一部をクリスチャンに改宗させ、大多数のビルマ族を支配させた。ビルマが独立してビルマ族の政権になると、イギリスの手先となって自分たちを痛めつけてきたこれら少数民族にビルマ族は当然の如く冷たい取り扱いをしました。それを人権侵害だと騒いでいるのがイギリスなのです。

自分のやった「分断統治の罪」は棚に上げて、その後遺症に苦しんでいるミャンマー軍事政権のやったことにケチをつける。その点では、オランダも似たようなところがあります。

日本が負けたあと、当然のごとく、オランダはインドネシアを再支配しようとしたものの、日本軍の残留軍人の支援も受けたインドネシア軍が立ち上がり奮戦し、結局、オランダがしぶしぶインドネシアの独立を認めたとき、なんとインドネシアに対して賠償請求をしています。そして、オランダのベアトリクス女王（注1）が来日したとき、第二次世界大戦に関して、江沢民が宮中晩餐会で日本を批判したのと似たようなことをスピーチしましたが、その後で植民地支配をしたインドネシアを訪問した際は、植民地支配に対する反省の弁を口にしなかった。

ヨーロッパではしょっちゅう戦争で勝ったり負けたりしています。しかし、負けたからといって恨んだりしていません。日本に対していろいろと批判するのは、自分たち白色人種より劣る有色人種にやられたことに恨み骨髄だからです。映画「猿の惑星」ではありませんが、猿に人間が支配されたりしたら、人間が猿に対してどういう感情を持つか……。彼ら白人人種が人種差別感情を克服することができるのか、その一助になりうると考えられるのが、私たちが「日本を取り戻す」ことであると思えます。

ミャンマーの軍部による人権侵害を批判している人が日本にも多くいます。せっかくアジア諸国を大東亜戦争で解放したのに、なぜ解放されたアジアの味方をしないのでしょうか。「日本を取り戻す」というのはそういうことでもあります。日本はアジア解放の旗手だったのであり、アジアや、ひいてはアフリカ諸国が今日「独立国家」として存在しているのは日本のお陰なのです。威張ることはないけれども、その歴史的認識を基礎に置けば、当時は日本の一部として日本と共にアジア解放のために戦った韓国や、欧米白人側について日本のアジア解放を妨害した中国に先の大戦を謝罪する必要は毛頭ないのです。

注1　ベアトリクス女王（一九三八年～）　第六代オランダ女王（在位は一九八〇～二〇一三年）。一九九一年にオランダの元首として初めて日本を公式訪問し、宮中晩餐会でオランダの植民地における第二次大戦時の自国民の犠牲について言及した。一方で、一九九五年に旧植民地のインドネシアを訪問したときのスピーチでは、「植民地支配はお互いに恵みを与えた」と語っている。

第二章

習近平体制は二〇二五年まで生き残れるか？

中国が米露のような超大国になれない理由とは？

二〇二二年は中国の習近平主席の去就問題を始め、台湾有事の可能性や中露関係の動向など、世界の関心が中国に集まった年でもありました。偶々、日中国交正常化50周年に当たりましたが、尖閣諸島を巡る現在の緊迫した日中関係に鑑み「お祝いムード」ではなく、中国脅威論が高まった年でもありました。しかし同時に、親中派の岸田内閣の対中姿勢、とりわけ林芳正外相、河野太郎消費者大臣の閣僚や、小泉進次郎（前）環境相などの中国ビジネス利権に染まった政治家たちの太陽光パネルや風力発電機設置の推進など、国民の利益よりも中国の利益を代弁する反日的な行動に、国民の多くが警鐘を鳴らした年でもありました。

一九七二年の日中国交正常化は、アメリカが日本の頭越しに中華人民共和国との関係正常化に動いたため、佐藤栄作内閣の後を継いだ田中角栄首相が大平正芳外務大臣と共に中国を訪問して日中共同宣言（注1）を発したことにより実現しました。私は一九七一年にインドの日本大使館へ赴任していたのですが、中華民国（台湾）との国交が断絶すると往来が不自由になると考え、一九七二年六月に休暇を使って台湾を訪れました。多くの国民が流暢な日本語を話す台湾には、日本との関係が断絶するのではないかとの緊張した空気が張りつめていましたが、それでも一般の国民の間には南国特有の明るさとともに、限定的とはいえ自由を謳歌し、エネルギッシュな生活臭が感じ取られました。

田中首相の日中国交正常化の決断の適否は、将来歴史家が判断する問題ですが、当然のことながら、日中関係がそれ以前の国交がなかった時代より困難な舵《かじ》取りを必要とされるようになりました。中国礼賛でもなく、中国脅威論でもなく、中国の歴史や民族性などをよく研究したうえで、外交に当たることが必要です。軸に置くべきはわが国の国益です。この軸に基づいて中国に当たることが前提なのです。

ところが、先に挙げた政治家をはじめとする親中派の面々にはこの軸が無いから、マネー（場合によっては異性）の力に簡単に騙される結果になってしまうのです。習近平の侵略的態度を云々する前に、日本人としての軸を確認したいものです。

それはそれとして、二〇二二年十月の中国共産党大会で習近平が三期目の政権を担うかどうかが注目されました。結果は、習近平は三期目の国家主席や党総書記に就任したのみならず、政治局常務委員を自らの側近たちで独占し、いわゆる江沢民派や胡錦濤派を完全排除する習独裁体制が成立しました。海外メディアに公開された会議場で、反習近平派のリーダー格であった胡錦濤前主席をひな壇から強制的に退去させるという暴挙まで演出しました。

これにより、胡錦濤のみならず反習近平派を恐喝したわけですが、面子を重んじる中国人の性格を真っ向から侮辱した不遜な態度は、逆に習近平王朝の「終わりの始まり」を象徴しているように感じられました。

ここで私たちが注意しなければならないのは、孫子の兵法にある、「戦わずして勝つ」戦術です。孫子の兵法には様々ありますが、最も上善の策が「戦わずして勝つ」兵法なのです。そう考えますと、わが国を含め世界の多くのチャイナ・ウオッチャーズが唱える中国脅威論には距離を置く必要があるのです。私はかねがね中国は決して超大国にはなれないと断言してきましたが、最近私の説を裏付けてくれる主張に出会いました。

アメリカの戦略国際問題研究所上級顧問で歴史学者のE・ルトワック（注2）は、二〇二二年八月二十九日付け産経新聞のコラム「世界を解く」で、「中国が『完全な大国』ではない」と書き、その理由に挙げたのは食糧問題でした。ルトワックによる大国の定義は「戦争に関わる全ての行為を自力でまかなうことのできる国」であり、中国は食糧自給において「深刻な欠点」があると指摘しているのです。

私が「中国は超大国になれない」とする根拠は、中国は食糧に加えエネルギーも自給できないという点です。中国は食糧とエネルギーを自給できないということは、有事において致命的な欠点となるからです。エネルギーと食糧の輸入が滞れば、戦争を続けられるわけがありません。

後にも論じる予定ですが、現在のウクライナ戦争の関連でロシアは中国の世界戦略においてジュニアパートナーになるという見方がしばしば流布されています。その根拠として「ロシアは中国の経済力にかなわない」と指摘されていますが、これはロシア人の国民性を知らない大変皮相的な見方です。ロシアは食糧とエネルギーの二つを完全に自給でき、さらにはアメリカに匹敵する軍事力（核戦力）がある。つまり、ロシアの方が中国よりもはるかに強力なワールドパワーであり、中国が経済力と人口でロシアを凌駕していても、ロシアを支配下に置くことは決してできません。精神性の強いロシア人は経済偏重の中国人を軽蔑する傾向にあるほどですから。むしろ、ロシアにとっては中国がジュニアパートナーなのです。

中国の脅威ばかり喧伝する保守系の人は、ひょっとして中国の孫子の兵法に利用されているのではないかと疑ってみることが必要でしょう。結果的に、「いまさら軍事費を増大しても間に合わない」「日本は中国には到底敵わない」と諦めさせる工作を担っていないか、猛省を促したいところです。このように、日々普通に行われている「工作」を見抜く力をつけることが、私の主張する「精神武装」につながります。

注1　日中共同宣言　一九七二年九月、田中角栄総理が北京を訪問し、国務院総理の周恩来と首脳会談を行った。このときに「日本国政府と中華人民共和国政府の共同声明」（日中共同声明）が調印され、日本はそれまで国交のあった中華民国（台湾）と断交した。なお、日中平

和友好条約が調印されたのは一九七八年八月、福田赳夫政権のときである。

注2　エドワード・ルトワック（一九四二年〜）　アメリカの国際政治学者。ルーマニア生まれで、アメリカのジョンズ・ホプキンス大学で国際関係論の博士号を取る。現在、戦略国際問題研究所（CSIS）シニアアドバイザー。

人民解放軍は張り子の虎？

昨今、「台湾有事」が取り沙汰されています。安倍元首相が言われたように「台湾有事は日本有事」であることは確かですが、前著（『2022年世界の真実』）でも述べたように中国による台湾の侵攻は基本的にないと、私は考えています。

その理由は、第一に軍事力を使って台湾を押さえることが難しいことです。中国が保有する三百発の核弾頭を打ち込めば話は別ですが、それをやったら中国はその後、国際的に存在できなくなる。だから、核兵器を使った攻撃はやらないでしょう。

では、通常兵器で台湾海峡を押さえ、台湾を占領できるのか。それが長期的に可能であったとしても、莫大な金と労力がかかります。現実的に考えれば、中国はその負担に耐えられないと思われます。

しかも、台湾を併合できるかどうかを見通すことは困難です。最終的に中国の人民解放軍が台湾本島に上陸し傀儡政権を樹立しなければなりませんが、上陸作戦ですら海岸線での戦闘は防御する台湾の方が有利です。たとえかなりのダメージを受けて上陸できたとしても、その後が大変です。兵站《へいたん》を維持して、全土の占領を進めるためには、圧倒的な兵力差が必要になる。この条件をクリアしなければ、台湾を解放したことには繋がりません。

それから、いざとなれば中国兵には逃げる輩が続出する可能性も否定できません。中国の今までの戦争を見ると、略奪して逃げるケースが続出していました。支那事変が典型的ですが、中国人のマインドはそれほど変わっていないはずです。

「習近平が自分の権力を固めるために――あるいは中共政権が危なくなったら――台湾に侵攻して、国民の目を外に向ける」。このような指摘がしばしば語られます。しかし、そのような理由で台湾に侵攻したら、国民はついていかないでしょう。なぜなら、国民の最大の関心事は外交的成果ではなく、自分のビジネスが保証されるかどうかだからです。

また、かつての台湾海峡危機の歴史を振り返ると、福建省のアモイに近い台湾の金門島が中国の砲撃を受けました（注1）が、大陸に近い馬祖島も含めて、あのあたりを攻撃・占領することで、「統一に向けた第一歩だ」とアピールする可能性がないとはいえません。しかし、情報統制が強いとしても中国はネット社会になっているから、国民の間で密かに情報が行き来して、そのような茶番は通用しないでしょう。

「張り子の虎」というと、真面目なチャイナ・ウォッチャーズはいつも怒るのだけれど、人民解放軍は張り子の虎的な存在、すなわち見かけほど強くないと、私は見ています。

二〇二二年に、中国で三隻目の航空母艦が進水したというニュース（注2）が流れました。そもそも、海洋国家でない中国が航空母艦を持つこと自体、国防資源の効率的配分の観点からは疑問視されますが、技術的未熟さも手伝って中国の航空母艦は殆ど役に立たないと私は思います。中国人は見せかけが好きなのでしょう。

「中国の軍事費は巨額だ」「ドローンなどの近代的兵器をもっている」ということで、しばしば中国の軍事力が評価されます。確かに数字の上では、ここ十数年の中国の軍拡はすごい。しかし、支那事変のときに、逃げる兵隊を「逃げるな」といって、後ろから撃ち殺したような歴史的DNAを背負っている国です。その点を差し引かなければいけません。

注1　第二次台湾海峡危機（金門砲戦、金門島砲撃事件）　一九五八年八月から十月にかけて、中国人民解放軍が中華民国福建省金門島を砲撃し、アメリカは第七艦隊の空母を送り込んで、中華民国を支援した。なお、中国は四十七万発の砲弾を金門島に撃ち込んだといわれるが、その不発弾などを再利用して刃物類が製造され、金門島の名産品となっている。

注2　中国で三隻目の航空母艦　二〇二二年六月、上海の造船所で空母が進水し、「福建」と命名されたことを、中国の新華社通信が伝えた。排水量は約八万トンと大型化し、電磁式カタパルトを装備しているとされる。ウクライナから海上カジノに使うとして一九九八年に購入した空母「ヴァリャーグ」を改造し、二〇一二年に就役した「遼寧」、初の国産空母として

二〇一九年に就役した「山東」に続く三隻目の空母となる。

日本はどの分野の軍事力を強化すべきか

「中国の軍拡に対して、日本も軍拡を」と単純に結びつけたら、アメリカが喜んで「この武器を買え」といってくるだけです。もちろん、日本が軍事力を強化することは独立国家として必要ですが、そこで大事なのは「どの分野の軍事力を強化するか」であり、まずは防衛兵器に重点を置くべきだと私は考えます。

たとえば、現状のミサイル迎撃システムは、十発のミサイルのうちで一発落とせるかどうかで、確率が悪い。また、最終的に配備しなかったイージス・アショア（注1）は、コストに比べてベネフィットが低い代物です。迎撃能力も必要ですが、専守防衛が国是の精神からは、敵方がミサイルを発射した途端に爆発を起こす、あるいは上空まで飛び上がれないように遮断するというような、「ミサイルを無力化する」兵器を開発すべきです。日本の技術力からすれば、不可能ではありません。

それから、日本は海洋国家ですから、海からの防衛上潜水艦が大事です。ディーゼル潜水艦の技術は、日本が世界トップクラスといわれます。音をほとんど出さないから、海に潜っているときは、どこにいるかが容易にわからない。これは相手国に脅威となります。「日本を攻撃したら、いつ何時、海中から攻撃されるか」と、関係国が思えば、それが抑止力になります。

中国や北朝鮮の核兵器に対抗するため、核武装を唱える保守系の言論人たちが多く見られます。しかし、かつては相互確証破壊理論（ＭＡＤ）がもてはやされました。簡単に言えば、米露のように一万発程度の核弾頭を相互に保有していれば、先制攻撃しても報復攻撃で破壊される恐れがあり、核抑止が働くという論理です。従って、核兵器を十個ぐらい持っても三百発保有している中国の核の抑止力にはなりません。核兵器を持たなくてもいいとはいいませんが、それ以前にやることがいろいろとあるはずです。

さらに言えば、人類で最初に原爆の被害を受けた国民感情と、指導者の決意の問題を無視できません。いざとなったら、核兵器の引き金を引ける首相が日本にいるのかどうか。そういう問題を解決しないと「宝の持ち腐れ」です。もっとも以上見たように、核兵器が国防上の宝になるのかどうか、冷静な議論が必要と思います。

岸田文雄総理ではないけれど、唯一の被爆国としての日本の役割は何かというと、核兵器のない世界を作るといったおとぎ話ではなく、核兵器を使わせないために、核兵器を無力化する新兵器を持つことです。一部は研究しているとも聞きます。大々的に宣伝しなくても、そのような研究をしているということが日本の防衛力強化につながります。

また、現在の日本がつくれないステルス機のＦ35を、アメリカから買っても構いません。ただ、アメリカも日本に最新鋭の戦闘機を渡すことに複雑な思いがあるはずで、本当のトップシークレットを明かしてくれないかもしれない。それでも、零戦をつくった伝統をもっている国だから、Ｆ35を元にして、より優れた戦闘機をつくればいいのです。

いざ核攻撃を受けた場合に、国民の被害を最小限に食い止めるためのシェルターの設置なども、広義の「防衛兵器」ということができるでしょう。例えば、東京都の場合、都営地下鉄の大江戸線（注2）がシェルターとしての役割を想定して建設されたように思います。鈴木俊一都知事（注3）は、その点で偉かった。ただ、問題は通気と水・食糧の補給で、そこまでは考えられていないようですが、核兵器による攻撃の場合は、最初の閃光を直接浴びるか浴びないかで被害がだいぶ違うとのことですから、それを避けるという点ではシェルターは意味があります。岸田政権は今後シェルター設置を実践するべきです。

注1　イージス・アショア　陸上用のイージス弾道ミサイル防衛システム。日本はイージス・アショア二基を、山口県と秋田県へ配備する計画だったが、二〇二〇年六月、当時の河野太郎防衛相が計画の停止を発表した。

注2　大江戸線　東京都交通局が運営する鉄道路線。一九六八年に都営十二号線として計画がスタートし、一九九一年に開業した。後発の地下鉄路線という性格上、既存の路線より深部につくられ、六本木駅の一番線ホームは地下四十二メートルにあり、地下鉄駅としては日本で最も深いところにある。

注3　鈴木俊一（一九一〇〜二〇一〇年）　日本の政治家。東京帝国大学法学部卒業後、一九三三年に内務省へ入り、自治省事務次官、岸信介内閣官房副長官などを歴任。東龍太郎東京都知事の下で副知事を務めた後、一九七九年の都知事選に出馬して当選、四期務めて退任した。

ペロシ訪台に伴う中共の軍事的威嚇は出来レース？

アメリカ政府や議会の要人たちがひっきりなしに台湾を訪れていますが、二〇二二年に大きく注目されたのは、二〇二二年八月二日夜から三日にかけて、ペロシ米下院議長（注1）が台湾を訪問したことでした。大統領の後継順位第二位というこれまで台湾を訪問した最も高位の人物だったからです。

ペロシ訪台の可能性が取り沙汰され始めた七月二十八日、習近平主席はバイデン大統領と電話会談をして、「台湾問題でアメリカが火遊びすれば、必ず焼け死ぬ」と警告を発し、その後も王毅外相や中国軍当局などによる「報復は倍返し」『アメリカは返り血を浴びる」など、品のない中傷をしました。

しかし、実は、これらの感情的対米非難は、ペロシ訪台に抗議して中国が台湾に軍事侵攻する意図がないことを暗示したものでした。「中国はいよいよ本気だ」と捉えるのではなく、軍事攻撃をしないことを決めたから罵詈雑言を放ったのだと読まなければいけません。つまり、ペロシ訪台を契機に高まる中国民衆のナショナリズム感情に対して、一種のガス抜きをしたわけで、習近平は軍事的に報復する意図がないことをアメリカに事実上伝えたと見るべきです。

「ペロシの乗った飛行機を撃ち落とせ」というような扇動的な主張も、中国内でSNSを通じ出ました。これは中共が国民に好きなことをいわせて溜飲を下げさせたのであり、ある種のマスターベーションに過ぎません。

中共当局のこのような態度は、米中が水面下でペロシ訪台について事前に打ち合わせたことを窺わせます。つまり、ペロシ訪台の真の目的は台湾防衛に対するアメリカのコミットメントを強化することではなく、世界最大の半導体組み立て企業TSMC（注2）との協力関係強化を再確認することにあったと考えられるのです。

ペロシ議長は蔡英文総統（注3）と短時間会談しましたが、TSMCのマーク・リュウ会長等とも昼食をとりながら長時間会談しています。それが物語るのは、「バイデン政権で大統領継承順位第二位の与党民主党下院議長が、ＴＳＭＣのアメリカにおける権益を保証した」ということです。ＴＳＭＣはアメリカのアリゾナ州に大規模工場の建設を予定しています。アメリカの経済安保上の関心を十分考慮しなければならないのですが、懸念材料の一つがＴＳＭＣと中共人民解放軍との関係です。半導体先端技術がＴＳＭＣから人民解放軍に流れているとの懸念をアメリカなどに持たれていますが、今般のペロシ訪台の結果、ＴＳＭＣは一応アメリカの懸念をクリアしたと見られます。また、先端技術の獲得上ＴＳＭＣの存在価値を認めてきた習近平にとっても、今回のペロシ訪台の結果に一安心しているのではないかと考えられます。もっとも、中国はペロシ訪台終了を待って、いかにも大規模な軍事演習を開始しましたが、これは所詮、ポーズに過ぎないでしょう。

米国防総省のカール国防次官は八月八日の記者会見で、「中国の台湾侵攻は今後一、二年の近い将来起こることはない」という従来の国防省の見解を確認するとともに、台湾が世界半導体供給の最重要拠点である点に言及しましたが、ペロシ訪台の成果を間接的に認めたものと思われます。

注1　ナンシー・ペロシ（一九四〇年～）　アメリカの政治家。イタリア系アメリカ人で、民主党に所属し、下院議員に十一回当選している。二〇〇七年には史上初の女性下院議長になった。二〇一〇年の中間選挙で民主党が敗れたため退任するが、二〇一八年の中間選挙で民主党が勝利すると、再び下院議長に就任した。二〇二二年十一月の中間選挙で、民主党が「野党」になり、議長の任から退く予定。

注2　ＴＳＭＣ（台湾積体電路製造股份有限公司）　Taiwan Semiconductor Manufacturing Company, Ltdの略称。一九八七年に設立され、本社は台湾の新竹市に置かれている。創業者の張忠謀（モリス・チャン）はアメリカのＭＩＴ（マサチューセッツ工科大学）を卒業後、テキサス・インスツルメンツでキャリアを積んだ。現在、世界最大の半導体製造ファウンドリである。

注3　蔡英文（一九五六年～）　台湾の政治家で、第七代中華民国総統。国立台湾大学法学部を卒業後、アメリカのコーネル大学ロースクールで法学修士、イギリスのロンドン・スクー

ル・オブ・エコノミクスで法学博士を取得し、国立政治大学と東呉大学の教授に就任する。二〇一二年の総統選挙では、国民党の馬英九に敗れたが、二〇一六年の総統選挙で圧勝し、台湾で初めての女性総統になった。二〇二〇年の総統選挙でも当選して、現在二期目である。

アメリカは「台湾は中国のもの」と認めている

一見すると、現在のアメリカ・バイデン政権は中国に強硬な態度を取っているように映るけれど、実態は違います。アメリカは中国を利用しているのです。その理由を理解するには、一九四九年の中華人民共和国建国の背景にまで遡る必要があります。

中華人民共和国をつくったのはアメリカ――正確には、当時のトルーマン大統領を背後で操っていた共産主義者の側近たちの策謀――でした。ルーズベルト大統領の側近だった彼らは、ルーズベルトの死去に伴い副大統領から昇格したトルーマン大統領の側近としてとどまっていたのです。

ルーズベルト政権は支那事変から大東亜戦争の終了まで、終始、蔣介石の国民政府ではなく、毛沢東の共産党ゲリラ勢力を支援しましたが、アメリカが蔣介石に日本と戦うように圧力をかけ続けたのは、国民政府軍を疲弊させて毛沢東の共産党軍を有利にするためでした。教科書的歴史観はこの事実にまったく触れず、ルーズベルト政権が毛沢東の根拠地だった延安にアメリカの外交官を常駐させていた事実も無視を決め込んでいます。

アメリカの毛沢東支援は、一九三六年末に蔣介石に毛沢東と共同して日本にあたることを約束させた西安事件や、一九四五年に勃発した国共内戦において蔣介石に引導を渡したジョージ・マーシャル特使（注1）の派遣などに顕著に表れています。

西安事件の翌年七月から盧溝橋事件を皮切りに、蔣介石の国民政府軍は日本との戦闘を強要されますが、首都の南京が陥落しても重慶に退いて日本との戦闘を継続したのは、ルーズベルト政権の強い圧力があったからです。

日本の敗北後に勃発した国共内戦時、トルーマン大統領の特使として中国を訪問したマーシャル米陸軍参謀総長は、毛沢東軍を壊滅寸前まで追い詰めていた蔣介石に対し、停戦と共産党との連立政権を強要しました。これで毛沢東が息を吹き返し、最終的に蒋介石を台湾に追い出し、中華人民共和国の樹立に至ります。
だから、毛沢東は一九六四年、日本社会党の訪中団（佐々木更三委員長ほか）が、かつての日本の軍国主義の中国侵略を謝罪するのに対して、こんなホンネをしゃべったことがあります。

「わたしは、かつて、日本の友人に次のように話したことがあります。かれらは、日本の皇軍が中国を侵略したのは、非常に申し訳ないことだ、と言いました。わたしは、そうではない！もし、みなさんの皇軍が中国の大半を侵略しなかったら、中国人民は、団結して、みなさんに立ち向かうことができなかったし、中国共産党は権力を奪取しきれなかったでしょう、といいました。ですから、日本の皇軍はわれわれにとってすばらしい教師であったし、かれら（その日本の友人のこと）の教師でもあったのです」

「何も申し訳なく思うことはありません。日本軍国主義は中国に大きな利益をもたらし、中国人民に権力を奪取させてくれました。みなさんの皇軍なしには、われわれが権力を奪取することは不可能だったのです。この点で、私とみなさんは、意見を異にしており、われわれ両者の間には矛盾がありますね。（みなが笑い、会場がにぎやかになる）。」（『毛沢東思想万歳〈下〉』一九七五年・三一書房）

ともあれ、この間の事情について関心のある方は、前述の拙著『歴史は繰り返す』（ワック）をご参照いただければと思いますが、日本との戦争を止めたいのにルーズベルトに止めさせてもらえなかった蔣介石と、ロシアとの戦争を何が何でも継続するようにとバイデン政権から圧力を受けているウクライナのゼレンスキー大統領（注2）が、私にはダブって見えます。

毛沢東の中共政権成立の歴史に加え、今日の台湾をめぐる米中の関係を理解するうえでの最大のヒントは、一九五〇年一月のアチソン国務長官の演説（注3）といっても過言ではありません。

アチソン長官は「台湾と南朝鮮（韓国）はアメリカの防衛線の外」であることを明らかにしました。つまり、台湾と韓国の安全にアメリカは関与しないことを鮮明にした。

この演説を受けて、六月に北朝鮮軍が韓国に攻め込み、朝鮮戦争が勃発したことはよく知られていますが、毛沢東政権樹立の三カ月後にアメリカは「台湾が中国のものである」という認識を示しているのです。このことを見落としてはなりません。

しかしながら、アメリカが中共の台湾侵略があっても関与しないと明言したにもかかわらず、それ以降、今日まで中共が台湾に侵攻していないのはなぜでしょうか。正統派歴史学者は説明してくれません。それどころか、今回のペロシ訪台をめぐる報道においても、アチソン演説への言及はゼロです。

アメリカは正式に「アチソン路線を変更した」と宣言していないので、アチソン演説は今でも生きていると思います。つまり、古証文ではなく、現在でも有効なアメリカのドクトリンなのです。

大変重要な点なのですが、中共の設立以来、アメリカは台湾が中国の一部であることを認めていて、中共が台湾を武力統一に動いても、台湾防衛のために軍事的に戦う意思はないと考えられます。もっとも、現在のウクライナ紛争における対露経済制裁に鑑み、建前として経済制裁を発動せざるを得ないでしょうが、その規模は対露制裁よりもはるかに軽微なものになるでしょう。

他方、中共は朝鮮戦争の教訓に鑑み、アメリカが撒いた台湾解放の餌に飛びつくことはなく、むしろ台湾を西側への経済的アクセスの基地として利用する戦略をとりました。また、「一つの中国」という原則を外交カードとしても活用してきました。たとえば、日本が台湾との実務関係を進める政策を取った際は、「中国は一つなり。認めていますね」と譲歩を迫る。その逆に、「中国は一つ」との中国のカードを遵守する涙ぐましい日本の政治家の姿勢は、中国指導部の冷笑を買っただけでした。

一九九五年、外務大臣の河野洋平氏が外遊の際、台風により飛行機が避難のために台北で緊急着陸したときがありましたが、そのとき、彼は、飛行機から一歩も出ることなく、数時間機内で待機した。こんな媚中派の河野洋平氏などは、中共にとって、利用できる忠実な代理人としか見ていないでしょう。中国の太陽光パネル輸入に熱心な息子の太郎氏も、事実上中国権益の代弁者的役割を果たしています。

注1　ジョージ・マーシャル（一八八〇～一九五九年）　アメリカの軍人（最終階級は元帥）、政

治家。第二次世界大戦中の陸軍参謀総長で、終戦後は軍を離れる。一九四五年十二月、トルーマン大統領の特使として中国に派遣され、一九四七年には国務長官に就任。ヨーロッパ復興のためのマーシャル・プランで知られるが、アメリカ議会が決めた国民党支援を遅延させるなど、共産党を利する行動を取った。

注2　ウォロディミル・ゼレンスキー（一九七八年〜）　ウクライナの政治家で、第六代ウクライナ大統領（任期は二〇一九年〜）。俳優、コメディアンだったが、政治を風刺したドラマ『国民の僕《しもべ》』で主役を演じたことが、二〇一九年の大統領選挙に当選した一因ともいわれる。なお、二〇一九年十月の即位礼正殿の儀に、ウクライナ大統領として参列している。

注3　アチソン・ライン　一九五〇年一月、アメリカのトルーマン政権で国務長官を務めるディーン・アチソンは、日本・沖縄・フィリピン・アリューシャン列島を「不後退防衛線」（アチソン・ライン）とする演説を行った。アチソン・ラインでは朝鮮半島と台湾はアメリカの防衛線の外に位置する。

中国は権威主義国家であると同時にグローバリズム陣営のメンバー

世界の構図は、バイデン政権が言うような「民主主義（欧米や日本など）対権威主義（中露など）」ではなく、「ナショナリスト対グローバリスト」の戦いです。この構図で捉えないと、中国の位置づけを間違えます。つまり、共産主義中国は権威主義国家であると同時に、グローバリズム陣営のメンバーなのです。

最近新たな勢力として注目度が上がっているBRICS（注1）のメンバーの中で、ブラジル、ロシア、インド、南アフリカはナショナリストで、トルコを加えたこれら諸国がナショナリズム陣営の中核となっています。明らかなグローバリストは中国だけです。

その中国はナショナリズムの雄であるロシアとも是々非々の関係を維持し、今次のロシア制裁に参加していません。それによってロシアに恩を売る一方で、ロシアの対ウクライナ侵攻を積極的に支持しない。したがって、ロシアは決して中国を信頼していません。

中国の対露姿勢はEU諸国の対ロシア態度と類似するところがあるように思います。EUは全体としてはグローバリストですが、個々のメンバーの中にはハンガリーやオーストリアのようにナショナリストが政権に就くことがあります。イタリアもナショナリズム志向の強い新右派政党「イタリアの同胞」（FDI）のメローニ党首を首班とする右派連立内閣が二〇二二年十月に発足しました。

ともかく、ロシアへのエネルギー依存とロシアの巨大な軍事力の脅威に鑑み、ロシアとは良好な関係を維持したいというのがEU諸国の本音と考えられます。

中国に話を戻すと、アメリカは中国が権威主義国であるとして、いかにも米国と対立関係にあるかのように振る舞っています。しかし、上述した中華人民共和国成立の隠れた歴史に鑑みれば、アメリカは中国の生みの親であるので、中国を親の世界戦略に従うべきジュニアパートナーとみなしていることがわかります。

「世界が民主主義と権威主義の対立で動いている」といったフェイクニュースに踊らされてはいけません。この誤った視点からペロシ訪台を見てしまうと、民主主義陣営の領袖アメリカが同じく民主主義陣営に属する台湾への関与をプレイアップするため訪台したとの説明に陥ってしまいます。しかし、真実は前述したようにTSMCがらみのビジネスを通じて、中国の半導体利権を尊重するというメッセージであったのです。つまり、アメリカは中国のグローバリズム政策は支持すると示唆しているわけです。

このように、ペロシ訪台は世界的なグローバリズム対ナショナリズムの戦いの観点から分析する必要があるのです。

ルトワックは前述のコラムで「ペロシの訪台で台湾海峡危機を叫んだ専門家や学者は、中国が完全な大国ではないという事実を理解していない」といっています。これはペロシ訪台の隠れた理由を示唆しているとも受け取れます。

注1　BRICS　二〇〇〇年以降、経済成長が著しいブラジル、ロシア、インド、中国、南アフリカ共和国の新興五カ国を意味する。それぞれの国の英語の頭文字をとっている。アメリカの証券会社ゴールドマン・サックスのエコノミストが二〇〇一年のレポートでブラジ

ル、ロシア、インド、中国を「ＢＲＩＣｓ」と呼び、二〇一一年に南アフリカ共和国が加わって、「ＢＩＲＣＳ」となった。なお、初めての首脳会議は二〇〇九年にロシアで開かれている。

一般の中国人にとって、共産党政権が続くことはマイナス面が大きい

中共の習近平が一強なのか、それとも熾烈な権力闘争に晒されているのか、様々な見解が乱れ飛びましたが、二〇二二年十月の中国共産党大会で一応の結果が出ました。習近平の独裁政権が樹立されましたが、これは習近平が自己の権力を強化した結果ではなくむしろ独裁政権の「終わりの始まり」と言えると思います。言うまでもなく、今後の失政は全て習近平の責任に転嫁される土壌が確立したことを意味するからです。つまり、独裁の完成は没落の始まりということです。

このような習近平の置かれた地位に鑑みれば、多くの識者が力説しているように果たして台湾侵攻が早まることになったと単純に片づけてよいものでしょうか。習近平にとって台湾侵攻が毛沢東を超えることにはならないことは前述した通りです。これ

から、習近平は内向きの姿勢を強化するのではないかと考えられます。

そもそも、二〇二二年十月の共産党大会において習近平がどうなるかについて、私はあまり関心がありませんでした。なぜかというと、二〇二五年頃に中国共産党体制の崩壊があり得ると思っているからです。

すでに何度も書いてきたことですが、フランスのユダヤ系の経済学者であるジャック・アタリ（注1）は「二〇二五年に中国共産党の一党支配は終わる」と、時期を明示しました。アタリはディープステートの欧州における広告塔のような存在だから、その発言はディープステートの意思を示していると見ていい。つまり、ディープステートの手によって中国共産党体制が崩壊させられるのではないかと思うのです。

ディープステートが中国共産党体制を潰す理由は、中国がディープステートの覇権にまで介入してくるようになったからでしょう。第二次世界大戦後に、革命が成功できるように裏で資金などを提供して、中国共産党体制をつくったディープステートからすれば、今の中国の動きは「恩を仇で返されたようなもの」です。

ディープステートの東西冷戦世界戦略において、ソ連や中国が東側陣営の中心に位置づけられていましたが、ソ連はすでになく、今度は中国共産党に中国という巨大な市場の独占をやめさせることを考えている。東西冷戦終了後、ディープステートをはじめとした世界の富裕層は、中国共産党を利用してぼろ儲けしました。ところが、習近平体制になると、外資の経済活動が締め付けられ、うま味がなくなった。コロナも発生した。そこで、中国共産党による中国市場の優先的支配をやめさせる方向に舵を切ったのでしょう。

二〇二一年のダボス会議（注2）で、「グレートリセット」という言葉がテーマになりました。つまり、従来の国際秩序を根本的に刷新しようというわけですが、「中国共産党の一党支配の終焉」はその一環といえるかもしれません。

一方、中国人は「共産主義が大事だ」というような政治的なことは考えていないし、習近平にしても「権力を維持するためにどうするか」が問題で、そのスローガンとして毛沢東精神の復活を唱えているわけで、「共産主義を維持しよう」などとは本気で考えていないと思います。今の中国は共産主義体制ではなく、「共産党が政府を握っている」というだけです。中国が共産主義と思ったら間違えます。

鄧小平の改革開放から約四十年が経ち、それなりに儲けたから、「共産党支配はもう結構だ」という意識が、一般の中国人に出てきているように感じます。これ以上共産党政権が続くことは、むしろマイナス面が大きくなるから、それは当然というべきかもしれません。

単純化して説明すると、赤字を垂れ流している国営企業のツケを、人民の儲けから払っているのが現状です。様々な形で人民から資金を召し上げて、国営企業の赤字補填にあてているのです。不動産バブルの対処にしても、基本的にはそういう構図です。「人民が儲ける」という意味では、基本的に行き詰まっている。こういうふうに考えますと、ジャック・アタリならずとも、だいたい二〇二四年から二五年あたりに中共の支配が滅ぶと合理的に考えられるのです。

注1　ジャック・アタリ（一九四三年〜）　フランスの経済学者、思想家で、アルジェリア出身のユダヤ系フランス人。一九八一年から一九九一年までミッテラン大統領の顧問となり、以後、フランスの歴代政権で重要な役割を担い、マクロン大統領にも影響を与えているとさ

れる。翻訳されている著書には、『1492　西欧文明の世界支配』（ちくま学芸文庫）、『ヨーロッパ――未来の選択』（原書房）、『21世紀の歴史――未来の人類から見た世界』（作品社）、『アタリ文明論講義：未来は予測できるか』（筑摩書房）、『2030年ジャック・アタリの未来予測』（プレジデント社）などがある。

注2　ダボス会議　本部をジュネーブに置く民間団体の世界経済フォーラムが、毎年一月にスイスのリゾート地ダボスで、世界的な経済人、各国の政治家、学者、NGOなどを招いて開催する年次総会。一九七一年にジュネーブ大学教授だったクラウス・シュワブが開いたヨーロッパ経済人の会議から始まり、一九九〇年代に注目されるようになった。著名な参加者として、ドイツのアンゲラ・メルケル前首相、アメリカのヘンリー・キッシンジャー元国務長官、ロシアのウラジーミル・プーチン大統領などがいる。

中国共産党支配の終了後、九カ国条約の時代に戻る可能性がある

十年、いや二十年ぐらい前から、多くのチャイナ・ウォッチャーズが「中国は崩壊

する」云々という内容の本を出しています。たしかに、中国共産党体制はまもなく崩壊するでしょうが、巨大な市場である中国そのものはなくなりません。「中国は国でなく、単なるマーケット」が私の持論ですが、そのマーケットを政治的に支配する中国共産党政権は滅びる。そこは区別して考えなければいけません。中国というマーケットは残るという意味で、「中国は滅びない」のです。

今はたまたま中国共産党の支配を受けていますが、それ以前はさまざまな王朝が支配していた土地です。中国共産党政権が滅びた後、中国という市場を治める新たな政権ができるでしょう。

では、次の政権は一体どういう存在になるのか。求められるのは、基本的に「中国人民が金儲けできること」です。

また、国際的なレベルでヒントになるのは、一九二二年の九カ国条約です。この条約は、ワシントン会議に出席したアメリカ・イギリス・オランダ・イタリア・フランス・ベルギー・ポルトガル・日本・中華民国の九カ国間で締結されました。そこで決められたのは、中国に統一政権が存在していない段階で、お互いに中国に介入することは控えようということでした。しかし、欧米諸国、特にアメリカには日本の中国進出を封じ込めるという意図がありました。それだけ当時の日本は、国際的に大きな存在感を示していたのですが、日本が中国で何かをするたびに、アメリカは「九カ国条約違反だ」と抗議してきました。

これと同じように、中国共産党支配が終わった暁には、九カ国条約的な時代に舞い戻る可能性が考えられます。一言で言えば、九カ国条約的体制とはこれから中国というマーケットで誰が有利な地歩を固めるかという問題です。この中で日本が国益を守りつつ伍してゆけるかは、歴史的な課題でもあるのです。

現在の日本は、自民党の有力政治家が中国利権に絡めとられて、中国に面と向かってモノが言えない情けない状況にあります。従って、今後激変が予想される中国に対処するには、しがらみのある政治家には全員退場してもらう必要があります。中国と対等にやりあうには、利権に縁遠い政治家でなければなりません。

台湾出身の評論家である黄文雄氏は、「中国と付き合うのは『敬遠』がいい」とおっしゃっています。中国は近隣の大きな国だから、尊重はする必要がありますが、決して近づきすぎないことです。この「敬遠」の距離感こそ、歴史的に見て日中関係が良好であった時代から学ぶべきポイントではないでしょうか。

アメリカは韓国をあまり重要視していない

前著で二〇二二年には朝鮮半島では紛争が起こる可能性は低いと論じました。ところが、二〇二二年十一月に入って、北朝鮮によるミサイル発射が続くなど、北朝鮮情勢が俄かに緊迫してきたように見えます。加えて、先述したように習近平による台湾侵攻が近いとの識者の言動が広まっています。この状況は一九五〇年のアチソン演説の構図と同じです。東アジアにおいて、朝鮮半島と台湾での戦争が想定されるわけです。もし、歴史が正確に繰り返されるとするなら、戦争が起こるのは朝鮮半島の可能性が高いと言えるでしょう。

とするなら、韓国の対応がカギを握ることになります。一九五〇年の朝鮮戦争の場合は、李承晩の韓国は北朝鮮軍の前にもろくも崩れ去りました。今日の韓国軍は当時と比べ格段に増強されており、北朝鮮軍といえども容易に侵攻することは出来ないでしょう。となると、北朝鮮の切り札は核兵器ということにならざるを得ません。もう一つの可能性は、韓国内での親北勢力の蜂起です。しかし、尹保守政権に代わった韓国ですから、親北政権（文在寅）時と比べ実現が困難になっていると想像されます。

核兵器を保有していない韓国としては、結局アメリカに頼る以外にないのですが、韓国のアメリカに対する感情はそう単純ではありません。保革いずれの政権にとっても最重要国は中国なのです。例えば、台湾を訪問したペロシ下院議長が韓国に立ち寄ったとき、尹大統領は休暇中という名目で会いませんでした。同盟国アメリカの要人に対する態度としては考えられないことですが、保守系であろうが何であろうが、事大主義と小中華思想に凝り固まっていますから、韓国は中国を米国より上に見ています。ましてや、日本は中華思想を知らない野蛮国で、弟分くらいに見ていると感じます。

現在、表向きは「安全保障はアメリカ、経済は中国」というお題目が、韓国で唱えられているようです。しかし、アメリカは実は韓国のことをあまり重要視していません。アメリカというよりディープステートといったほうが正確ですが、彼らにとっては韓国よりも北朝鮮の方が重要なのです。なぜなら、北朝鮮を作り、世界のならず者国家として育成してきたのは実はアメリカのディープステートなのです。ディープステートの一角を占めるCIAにとって、北朝鮮は彼らが表立ってできない犯罪行為を代行してくれるからです。テロ、麻薬、マネーロンダリング、殺人等々に北朝鮮を利用しているのです。前述したように、だからこそ北朝鮮はアメリカと対等にやりあうことができるような演技をさせられているのです。北朝鮮はいわばイスラム国（IS）の古典的タイプの存在と言えます。現在ISは、中東を始めアフガニスタンやトルコ、さらにはEU諸国などでテロ行為を行っていますが、そこにディープステートの意向を見て取ることができます。詳しくは、拙著『世界最終戦争の正体』（宝島SUGOI文庫）を参照ください。

第三章　プーチンとネオコンの死闘

カザフ暴動はウクライナ侵攻の序曲だったのか

二〇二二年の年明け早々、旧ソ連構成国であった中央アジアの資源大国カザフスタンで、暴動が発生しました。きっかけは、統制廃止に伴い、液化石油ガス価格が突如二倍に高騰したことを受けて起こった、大規模な反政府デモです。そのデモ隊と治安当局との衝突などで、双方に二百人以上の死者が出る暴動に発展しました。

暴動の拡大を受けて、トカエフ大統領（注1）は集団安全保障条約機構（CSTO）に平和維持軍の派遣を要請し、ロシアの空挺部隊を中心とする加盟国部隊がカザフの宇宙基地などの戦略の要衝を押さえ、外部勢力の破壊活動を抑止した結果、暴動デモは鎮静化したのです。

その後、デモの性格をめぐり、アメリカをはじめとするNATO諸国と、カザフ政権やロシアなどとの間で食い違いが表面化しました。

特にロシアとアメリカとの間で緊張が高まったのですが、争点は、カザフ当局が「デモ隊に国外勢力の介入があった」としてCSTOの介入を正当化しているのに対し、アメリカは「その証拠はなく、トカエフ大統領がデモ隊を暴力で弾圧したのは行き過ぎである」と非難していることです。

さらに、中国の王毅外相がカザフ政府を支持すると表明したため、アメリカ・NATO vs中露というメディアが飛びつく構図になり、産経新聞は二〇二二年一月十三日付の社説で、以下のように論じました。

「プーチン氏やトカエフ氏はデモ参加者を『国外で訓練されたテロリスト』などと称し、CSTO部隊の投入を正当化した。中国も欧米を念頭に『外部勢力による革命』を阻止したとしてロシアの介入を称賛した。またもや強権体制の護持で中露が手を組んだ」

この社説は反中露の姿勢を明確にする一方で、アメリカは外部勢力がカザフのデモを扇動した証拠は示されていないとして、CSTO部隊派遣の根拠に疑問を呈していると述べています。

しかし、少なくともロシア政府発表や現地の専門家たちの分析などをこまめにフォローしていれば、両者の見解の相違の背景をより深追いできたのではないかと思います。世界を自由・民主主義陣営vs権威主義陣営に二分して、その枠に当てはめて報道するだけでは、カザフ暴動の真実は見えてきません。

カザフ暴動で思い起こされるのは、二〇一一年から突如チュニジア、エジプト、リビア、シリアなどで吹き荒れた「民主化」運動、いわゆる「アラブの春」(注2)現象です。それを総括すれば、「国民の福利を優先する反米政権を転覆するため、民主化運動を焚きつけて住民を扇動し、混乱に乗じて、自らが養成した過激派武装勢力を送り込み、暴力的に政権を打倒する。その後に親米政権を樹立」というパターンを、米国ネオコンが常套手段としていることが見て取れます。詳しくは、『世界を操る支配者の正体』(講談社)や『歴史は繰り返す』(ワック)をご参照ください。

このような最近の歴史が示しているように、今回のカザフ暴動で治安部隊側にも多数の死者が出ていることから、デモ隊側に武装勢力が紛れ込んでいたことが窺えます。

同時に、国境を挟んでウクライナと対峙しているロシアを牽制する意図が込められていたことも、容易に想像されます。今となっては、それはあたかも、二〇二二年二月に始まるロシアのウクライナ侵攻の序曲のようにも感じます。

注1　シム＝ジョマルト・トカエフ（一九五三年〜）　カザフスタンの政治家。ソ連の外交官としてシンガポールや中国の大使館に勤務し、カザフスタン独立後は同国の首相、外務大臣、上院議長などを歴任。二〇一九年、カザフスタン大統領に就任した。

注2　アラブの春　二〇一一年のチュニジアに始まり、エジプト、リビア、シリアなどで「民主化デモ」が起こり、チュニジア、エジプト、リビアでは政権が倒れた。その後に、イスラム過激派テロ集団が各国内でテロ事件を起こしている。

日本でほとんど語られない「クリミアの過去」

二〇二二年二月二十四日、ロシアはウクライナに侵攻しました。その直近の原因は、二〇一四年に遡ります。

二月にウクライナで民主化運動の名の下、アメリカのネオコンが公然と主導して誕生した反露過激派政権がロシア人の迫害を始めたことに対し、三月にロシアが住民投票の結果に従って、ウクライナ領クリミアを編入しました。この事態を「力による現状変更である」として激しく反発したアメリカは、EUや日本に呼びかけて対露制裁を科しました。いわば「クリミア紛争」とでも呼べる事態に、今回のウクライナ侵攻は端を発しているのです。

ロシアがクリミアを強制的に編入したとするアメリカの主張の是非を評価するためには、クリミアの歴史を知る必要があります。

黒海に突き出た戦略の要衝であるクリミアでは、スキタイ人、ギリシャ人などが入植して植民都市を築きましたが、やがてカスピ海周辺に栄えた改宗ユダヤ国家ハザール王国が支配するようになります。その後にタタール人（注1）が侵入し、クリム汗国を樹立しました。しかし、十八世紀にロシア帝国がトルコからクリミアを奪取し、トルコやイギリスとの死闘を制して守り抜いてきました。つまり、クリミアはロシアが血で獲得した領土だったのです。

ソ連時代にウクライナ出身のフルシチョフ首相（注2）の下で、クリミアの行政管轄をロシア社会主義共和国からウクライナ社会主義共和国に移行させました。これがソ連崩壊後に、ロシアとウクライナの間で、クリミアの帰属を巡る大論争が起こる原因となります。そして、紆余曲折を経てウクライナ領とすることで決着を見ましたが、軍港セバストポリをロシア海軍が租借したことや、住民の七割をロシア人が占めるというロシア色の強いことから、クリミアはウクライナの自治共和国になったのです。

以上の歴史を見ただけでも、ウクライナ領クリミアは元々ロシア領であり、ロシアが純然たる他国の領土を強制的に併合したわけではないことがおわかりいただけると思います。

しかし、クリミアの複雑な歴史にはもう一つ、歴史家がほとんど議論せず、日本で語られることのない過去があります。この歴史こそ、今日のクリミア問題の根幹にかかわっているのではないかと見ることができるのです。

スターリン時代のソ連国内に、クリミアに並々ならぬ関心を抱いた人たちがいました。一九四四年、ナチスドイツをウクライナから追い出した頃に、反ファシスト・ユダヤ委員会（注3）のソロモン・ロゾフスキー委員長、著名な俳優ソロモン・ミホエルス、モロトフ外相の妻ポリーナ・ジェムチュジナなど、ソ連の指導者に影響力を有するユダヤ人たちが、クリミア半島をユダヤ人の自治共和国にするようスターリン共産党書記長（首相）に訴えたのです。

当時のソ連には、ユダヤ人の居住地として極東のハバロフスク近くにビロビジャン自治共和国がありました。しかし、ビロビジャンは極寒の地で居住地として適していない。温暖なクリミア半島が適切と見なされたのです。

ソ連の最高意思決定機関であるソ連共産党政治局で、この訴えは議論されました。ユダヤ人のカガノビッチやジェムチュジナの夫のモロトフはこれを支持しましたが、スターリンは拒否しました。かくして、クリミアにユダヤ人自治共和国をつくる構想は、日の目を見ませんでした。

スターリンが拒否した理由を、後にフルシチョフ首相は「背景にアメリカの影響を嗅ぎ取ったからだ」と回想しています。これはソ連の安全がアメリカを牛耳るウォール街のユダヤ人金融家たちによって脅かされることを危惧したのだと、私は解釈しています。

興味深い点は、アメリカの援助を得ながら第二次大戦を戦っているさなかにあって、スターリンがアメリカの魂胆を見抜いていて、ソ連内のユダヤ勢力に極めて懐疑的であったことです。

なお、この後、ロゾフスキーとミホエルスは逮捕され、ロゾフスキーは銃殺、ミホエルスは自動車事故を装って殺されました。モロトフ夫人はシベリア送りとなりましたが、スターリンの死後釈放されました。

それはともかく、かつて改宗ユダヤ国家のハザール王国が支配下に置いたクリミアに、ユダヤ人自治共和国をつくる寸前までいっていたことは、今日のクリミア問題を考える上で興味深いヒントを与えてくれているのではないでしょうか。

注1　タタール人　北アジアのモンゴル高原から東ヨーロッパにかけて住む、モンゴル系、テュルク系、ツングース系などの民族を指す。

注2　ニキータ・フルシチョフ（一八九四〜一九七一年）　ソ連の政治家。ウクライナで生まれ、一九一八年にロシア共産党に入る。モスクワの党第一書記、ウクライナ共産党の第一書記などを経て、スターリン死後の権力闘争に勝ち、ソ連の最高権力者となり、「スターリン批判」を行う。しかし、一九六四年に党中央委員会第一書記と首相を解任され失脚した。

注3　反ファシスト・ユダヤ委員会　第二次世界大戦中、アメリカのユダヤ人の協力を得るためにソ連内のユダヤ人有力者がつくった組織。一九四八年の第一次中東戦争ではチェコスロバキア経由でイスラエルに武器を供給したが、独立後のイスラエルに親米政権が生まれたことで、ソ連が中東政策を転換し、解散させられた。

ミンスク合意を強く批判したジョージ・ソロス

プーチンがクリミア併合を決行した二〇一四年三月から二カ月後の五月、ウクライナ南部の港湾都市オデッサで、ロシア系住民が追い込まれた労働組合ビルが放火され、焼死者三十二人を含む四十六人が死亡したといわれる事件が起きました。

これは「オデッサの虐殺」とも呼ばれますが、一方で同月に行われたウクライナ大統領選挙でチョコレート・ビジネスで財を成したポロシェンコが当選すると、内戦状態にあったウクライナ東部の親露勢力とウクライナ政府との間で交渉が進められます。

そして二〇一五年二月、ベラルーシの首都ミンスクでの首脳交渉の結果、ウクライナ東部で包括的な停戦を実施すること、親ロシア派武装勢力が占領する二地域（ドネツク、ルガンスク州の一部）に幅広い自治権を認める「特別な地位」を付与することなどを謳った「ミンスク合意」が、ドイツのメルケル首相とフランスのオランド大統領が立会人となって結ばれ、ポロシェンコ大統領とプーチン大統領が署名しました。

このミンスク合意を強く批判したのが、ネオコンを代表するユダヤ系投資家のジョージ・ソロス（注1）です。二〇一四年のウクライナのマイダン・クーデター（注2）を裏から操ったソロスは、二〇一五年四月一日付の「ニューヨーク・タイムズ」に、「停戦合意によって民主化運動は失敗した、停戦合意は破棄されるべきだ」「EUはウクライナに対して、ロシアと戦争ができるように軍事援助をすべきだ」と寄稿しました。要するに、東部地域における内戦状態を解決するミンスク合意の破棄を訴え、欧米に対しウクライナへの大規模な軍事支援を要求したのです。これを言い換えれば、「東ウクライナにおける戦闘を続けるべきだ」ということです。その狙いは、プーチンにウクライナへの軍事介入をさせ、反プーチン運動を世界的規模で展開することによってプーチンを失脚させることだったと思います。

ミンスク合意が結ばれたため、ロシアをウクライナにおける戦闘に引きずり込むことを当面断念したネオコンは、ロシアとIS（イスラム国）との衝突を画策しました。二〇一五年九月末に開かれた国連総会に出席したプーチン大統領はアメリカのオバマ大統領と首脳会談を行いましたが、ロシアがシリアにおけるIS掃討作戦に参加することを、オバマは黙認しました。それが意味するところは、「ISとの戦闘にロシアを引き込んだ」ということです。

ロシアがIS掃討作戦中に「事件」が起こりました。二〇一五年十一月二十四日、ロシア軍機がシリア上空でトルコ空軍機によって撃墜されたのです。「トルコの領空を数度にわたって侵犯したロシア軍機に警告を発したが、無視したので撃墜した」と、トルコ側は説明しました。

この事件は、翌年六月にトルコのエルドアン大統領がプーチン大統領に書簡を送り、「偶発的な出来事であった」として謝罪して落着したのですが、同年七月十五日に発生した反エルドアン・クーデター未遂事件で逮捕された反乱分子の中に、ロシア軍機を撃墜したパイロットが含まれていたことで、「ネオコンの息のかかった空軍内の反エルドアン分子が、トルコとロシアを戦争させる目的で、ロシア軍機を撃墜した」と見ることができます。

いうまでもなくトルコはNATOの加盟国ですから、ロシアがトルコに対して軍事行動を取れば、NATOとの全面的な戦争に至る恐れが十二分にありました。しかし、ロシアとの全面戦争を狙ったネオコンの目論見は、プーチンとエルドアンの冷静な対応によって挫かれたと言えます。なお、この間の複雑な事情を詳述する紙幅がありませんので、関心のある方は、前出の『世界最終戦争の正体』をご参照ください。

この案件は、二〇二二年十一月十五日に発生したウクライナ軍のロシア製迎撃ミサイルがポーランド領内に着弾して、ポーランド人二人が死亡した事例とだぶって見えます。ネオコンもさすがにロシア軍のポーランド攻撃だと強弁することができませんでした。結局、ウクライナ軍が発射した迎撃ミサイルであったことが明らかになりましたが、二〇一五年の撃墜事件のようにロシアをNATOとの戦争に引き摺り込むことを狙った「偽旗作戦」である可能性が強いでしょう。さらに穿った見方をすれば、当日トランプが行った二〇二四年の大統領選挙出馬宣言を相殺する効果を狙ったとも考えられます。現に、十一月十七日付の産経新聞は、一面トップがポーランドへのミサイル攻撃で、トランプ出馬記事は二番目の扱いでした。

注1　ジョージ・ソロス（一九三〇年〜）　ハンガリー系ユダヤ人の投資家。一九九二年に、大規模な英ポンド売りを仕掛け、イギリスの中央銀行が変動相場制への移行に追い込まれたことから、「イングランド銀行を潰した男」という異名がある。また、政治活動にも力を入れ、「国境なき政治家」を自称しているという。

注2　マイダン・クーデター　二〇一四年にウクライナの首都キーウでウクライナ政府と反政府デモが衝突し、騒擾状態の中でヴィクトル・ヤヌコーヴィチ大統領が失脚してロシアへ亡命した。

示唆されていたウクライナへの軍事作戦

ミンスク合意の後から、プーチンを悪者に仕立て上げる印象操作と見られる事件が何度も起こっています。

たとえば、ミンスク合意の二週間後、エリツィン政権で第一副首相を務めたボリス・ネムツォフがクレムリンの近郊で暗殺され、西側のメディアは「大統領選のライバルを消すための、プーチンによる暗殺である」と報じました。しかし、ネムツォフは支持率が一％程度の泡沫政治家に過ぎず、プーチンのライバルにはなり得ません。そういう人物を暗殺して、「プーチンの仕業である」という情報を流し、「プーチンは非情で、冷酷な人間である」という印象操作を仕掛けたと思われます。

近いところでは、二〇二〇年に起きた反体制派ナワリヌイの毒殺未遂事件がありました。プーチンが本気で殺そうと思ったのなら、未遂で終わるはずはありません。しかも、ロシアの病院で治療を受けていたナワリヌイは、ドイツの病院への転院が認められ、その後でロシアに帰国して逮捕されました。なぜ、危険であるはずのロシアに、ナワリヌイは戻ったのか。実に奇妙な話です。

ネオコンの仕掛けた罠にはまらず、度重なる挑発にも乗らなかったプーチンを観察していた私は、ロシアのウクライナ侵攻はまずないだろうと見ていましたが、その期待は外れました。しかし重要な点は予測が外れたか否かではなく、プーチンがネオコンの挑発に乗って彼らの罠にはまって侵攻したのではないということです。二〇一四年以来継続してきたウクライナの軍事基地化の進展によって、ロシアの安全が危機に瀕したから、プーチンは自衛のためにやむを得ずウクライナへの侵攻を決断したのだと考えられます。一九四一年十二月の日米開戦と同じように、追い込まれての自衛戦争だったともいえます。

そのことは、プーチンが二〇二二年二月二十一日の演説で、ドネツク人民共和国とルガンスク人民共和国を世界に対して国家承認するよう求めた際、ウクライナへの軍事作戦も示唆されていました。

プーチンが強調したのは、一九九九年から二〇二〇年までの間にＮＡＴＯの東方拡大が進み、ロシア国境沿いにＮＡＴＯ軍が直接対峙する事態となっている。そこに加えて、ウクライナのＮＡＴＯに加盟する動きがあらわになった。それはウクライナが対ロシア軍事攻撃の前線基地化する事態が完成することを意味します。この差し迫った危機に対処するため、プーチンはウクライナへの軍事作戦を決断したのです。

ウクライナの上層部は腐敗が激しい

二〇一四年の「ウクライナ危機」以降、ネオコンやネオナチ主導でウクライナの反露軍事基地化が進んでいたことが、前述したプーチンの演説から窺えますが、ネオナチの一つと目されているのが「アゾフ連隊」（注1）です。

ユダヤ系の富豪のコロモイスキーがドニプロペトロフスク州知事を務めていたとき、カネにモノをいわせて私兵集団を組織しました。これがアゾフ連隊で、彼らは東ウクライナでロシア系住民を虐殺しました。二〇一五年のミンスク合意後にポロシェンコ大統領はコロモイスキー知事を解任しましたが、アゾフ連隊はその後ウクライナ内務省管轄下の部隊として存続します。

その存在が日本でも広く知られるようになったのは、マリウポリのアゾフスタル製鉄所の地下に置かれた軍事基地に、アゾフ連隊が立て籠もったときでしょう。彼らはロシア系ウクライナ市民を人質に取って抵抗を続けましたが、国連などの仲介により人質は順次解放されました。そして、アゾフ連隊も二〇二二年五月にはロシア軍に投降しました。

当初、ウクライナのゼレンスキー大統領は、アゾフ連隊がロシア軍に降伏することを認めず、最後まで戦えと命令していました。

自国防衛の貴重な軍隊に死しか認めないという冷酷な態度を、ゼレンスキーが取った真意を理解するには、二〇一九年の大統領選挙にまで遡る必要があります。アゾフ連隊との決別を公約にして現職のポロシェンコ大統領を大差で破った俳優のゼレンスキーは、大統領就任後、アゾフ連隊を自らの指揮下に置こうと努めましたが、拒否されました。以降、アゾフ連隊の活動に、ウクライナ政府の誰も手を付けることができなくなったのです。

この経緯などを鑑みると、ゼレンスキーは紛争のどさくさを利用して、アゾフ連隊の消滅を図ったのではないかと推察されます。

しかし、最後は投降を認める態度に転換しました。死と投降のどちらを選ぶとなれば、屈辱的ではあるにしてもロシア軍に投降する方を選びたいとの強い意向がアゾフ連隊側から示されたはずですが、ゼレンスキーは彼らが投降しても自らの目的を達せられるとの計算があったのではないか。つまり、投降拒否による全滅という過激なやり方ではなく、ロシア軍に投降するという人道的な手法を選んだ。それでも、結果的にアゾフ連隊の存在意義は喪失するわけですから。

拙著『歴史は繰り返す』(ワック)でも示唆したように、プーチン大統領との間でアゾフ連隊消滅に関して何らかの密約があったのかもしれません。要するに、ゼレンスキーがなし得なかったことをプーチンにやってもらい、それによってプーチンが望むウクライナの「非ネオナチ化」を実現するという筋書きも考えられます。

ウクライナという国は、残念ながら欧米的な民主主義国ではありません。国民はおしなべて穏健で素朴ですが、上層部の腐敗が激しい。腐敗度においては、ロシアよりも遥かに上と国際的に見なされています。

腐敗の温床は天然ガス利権で、私が大使を務めていた頃から問題でした。この利権を握ることがウクライナでの政治権力を掌握する要諦です。政権が交代すれば、天然ガス利権を扱う得体のしれないペーパーカンパニーが乱立する傾向にあります。オバマ政権時代にバイデン副大統領がガス利権に介入してきました。息子のハンター・バイデンがウクライナの天然ガス会社ブリスマの幹部に送り込まれました。この会社の不正経理を捜査しようとしたウクライナの検事総長は、バイデン副大統領の圧力で解任されているのです。

トランプ大統領はウクライナに軍事援助する際、軍事援助が適切に行われるよう過去の腐敗問題を十分チェックするようにとの注文を付けました。これはアメリカ国民の血税を使って行われる援助である以上、当然の態度です。但し、バイデンの息子の腐敗追及を軍事援助の条件としたわけではありませんでした。

ところが、トランプのアメリカ国民の権利を守るという大統領としての当然の行動を、民主党のペロシ下院議長は「大統領権限の乱用だ」と因縁をつけて、一週間後に退任するトランプを強引に弾劾訴追したのです。多くの証言が行われましたが、誰からもトランプがゼレンスキーウクライナ大統領に援助と捜査を条件づけたとの証言は出てきませんでした。結局、上院での裁判の結果無罪評決が出されたのは、トランプが大統領を退任した後のことでした。このような茶番劇が民主主義を自認するアメリカで堂々と行われていること自体、アメリカは異常な状態にあるといわざるを得ません。詳しくは、次章で論じます。

注1　アゾフ連隊　二〇一四年五月、ウクライナで起こった親ロシア派の騒乱に対抗するため発足した。当初は義勇兵部隊だったが、同年十一月にウクライナ国家親衛隊に編入された。

ロシア経済崩壊を煽っただけの経済制裁論の愚かさ

二〇〇八年、グルジア（ジョージア）のサアカシュヴィリ大統領（注1）が、グルジアからの独立を唱える南オセチアとアブハジアに駐留していたロシア平和維持軍を攻撃しました。当時北京オリンピックの開会式に出席していたプーチン首相がすぐさまロシアに引き返し、ロシア正規軍が反撃してグルジアの首都トビリシまで押さえました。

このときは、ＥＵの議長国であるフランスのサルコジ大統領が仲介に入って収めたのですが、ロシア軍がグルジアに攻め込んだのに、ブッシュ（ジュニア）大統領のアメリカは制裁しませんでした。

ところが、二〇一四年にクリミア半島を併合したときは二〇〇八年とは違い、外交交渉もやらずに、突然オバマ大統領がロシアへの制裁を始めた。今回バイデン大統領はオバマ路線を踏襲して、有無を言わさずロシアへの「過去に例を見ない制裁」を断行しました。ＥＵも日本も付き合わされました。

二〇二二年二月の侵攻以降「経済制裁でロシア経済はすぐに崩壊する」「経済混乱のためプーチンは失脚する」と盛んにいわれてきました。しかし、大変なのは日本経済も含めて、アメリカ経済、ＥＵ経済でしょう。より傷ついたのは、皮肉なことに、制裁した方という状況です。ウォール街のラインで分析する経済評論家は、ロシアの実態を見通せないのです。

たとえば、日本の多くの保守系の経済評論家が、「ＳＷＩＦＴ（注２）から外されたら、ロシアは生き残れない」といいふらしていました。ところが、ＳＷＩＦＴ除外から九カ月たってもロシア経済は崩壊していません。

かつてイランが核濃縮を始めたとき、欧米諸国はイランをＳＷＩＦＴから除外しました。しかし、イランは様々な迂回ルートを使って制裁の影響を脱しています。ＳＷＩＦＴが効果のないことはこのような例を知っていれば容易にわかることですが、名だたる自称保守系の経済評論家たちは、ディープステート筋からの情報を垂れ流しているだけなのでしょうか。

エネルギーと食糧を自給できるロシアは、いわば「一つの世界」です。だから、ハイテク自動車を生産できなくても、生活に困らない。近代的な自動車をいくら持ったところで、シートカバーをはがしても食料にはなりません。これからの乱世において、どちらが生き残るかを考えれば、エネルギーと食糧を自給できるロシア人の方が生き残る確率が高いのです。

ロシアとソ連とを同一視する言論人には忘れられがちですが、ロシア人はソ連という酷い体制のなかでも生き残ってきた人たちです。ロシアの農民やウクライナのクラーク（富農）は搾取されてきた。それでも生き残りました。それから、粛正にも耐えたし、供給量を優先するノルマ経済体制にも耐えた。彼らにはそれなりの知恵があったからです。

私がモスクワの日本大使館にいたのは一九七九年から二年間で、そのときに「ソ連が十年後に滅ぶ」とは予想できなかったけれども、全く精気のない社会で、店には商品が殆どなかった。では、ロシア人は北朝鮮のように飢餓寸前で干上がったのか。全然違います。彼らは自宅の冷蔵庫のなかにたくさんの食糧を保存していた。事実上全部裏経済で手に入れたものです。

もちろん、普通にお金を払って買う人がいないわけではなかったけれど、殆どの人たちはコネや伝手《つて》を使って暮らしを維持しました。というのも、いい商品が販売店に入ったら、店頭に出る前に消えてしまうことが多いのです。そういう社会ですから、店頭に出てこないものを入手するためにはコネ、伝手を使うという知恵を、ソ連共産党支配の下で身につけたのでしょう。

そのソ連が崩壊すると、アメリカの新自由主義者が乗り込んできて急激な市場経済化が進められ、インフレが進みました。そして、資本主義のマインドを持った人だけが儲けて、超大金持ちが生まれた。一方、一般の国民はハイパーインフレでパンも買えないほど疲弊した。そこも耐えてきたのが、今のロシア人です。

ロシア革命を含めて、混乱の歴史をよく知っているプーチン大統領は、「ロシアの国民が生き残ることができたのは、ロシア正教（注3）と核兵器のお陰だ」といっていますが、これは非常に示唆的な発言だと思います。

ロシア正教は伝統的なロシアの精神を維持し、核兵器が象徴する軍事力でロシアという国を守ることができた。これを私なりに解釈すれば、軍事力を含めた物質面の実力と精神面での高いモラル、この二つがないと国家は生き残れないということです。

翻って、今の日本はどうか。精神面は伝統的価値を失ってしまい、二〇二二年度はともかく、経済も過去三十年デフレ状態にとどまっています。軍事力においては、いまだに自衛隊は憲法上の正規の存在ではない。これから生き残れるかどうかについては後に論じる予定です。

注1　ミヘイル・サアカシュヴィリ（一九六七年〜）　ジョージアとウクライナの政治家。二〇〇三年のバラ革命で指導的立場にあり、シェワルナゼ大統領を退陣に追い込む。二〇〇四年の選挙に勝って、ジョージアの大統領に就任。二〇〇七年に再選されるが、二〇〇八年に南オセチアへの侵攻を始めて、ロシアと軍事衝突を起こす。二〇一三年の大統領選挙に敗れ、大統領を退任するとウクライナに亡命し、ウクライナ国籍を得てオデッサ州知事を務めた。二〇一七年にウクライナ国籍を剝奪され、ポーランドに追放されるが、二〇一九年にゼレンスキー大統領が再び国籍を与えている。

注2　SWIFT（国際銀行間通信協会）　国際金融取引を仲介するベルギーの非営利法人(Society for Worldwide Interbank Financial Telecommunication)の略称だが、提供される決済ネットワークシステムも同名で呼ばれる。二〇一二年にイランの核開発に対する措置として、イランの銀行をネットワークから切り離すなど、経済制裁の手段として使われたことがある。

注3　ロシア正教　キリスト教の一派である正教会に属する独立正教会で、指導者はモスク

ワ総主教。十世紀末にキエフ・ロシアが正式にキリスト教を受け入れ、コンスタンティノープル総主教の管轄下で発展した。ソ連時代は弾圧され、聖堂が破壊されたり、聖職者が殺害されたりしたが、ソ連崩壊後に復興している。

なぜネオコンはプーチンを嫌うのか

これまで述べて来た通り、ディープステートの世界統一戦略外交の先兵であるネオコンは、左翼でリベラルな人々が保守主義に鞍替えし、一九六〇年代からアメリカで勢力を伸ばし始めますが、彼らはロシアを敵視しています。それは二重の意味での「ロシア憎し」といっていいでしょう。

ネオコンのルーツを辿ると、前述したハザール王国に行き着きます。ハザール王国は、最終的にロシアに潰され、国民はロシアを含めた東欧に逃げ延びました。それがアシュケナジム（アシュケナージ）と呼ばれる改宗ユダヤ人たちです。彼らがネオコンのルーツであり、反ロシアの原点なのです。

それに加えて、ユダヤ系のトロツキーとグルジア人のスターリンとの路線争いが関わってきます。一国社会主義を主張するスターリンとの路線闘争に敗れたトロツキーは、亡命先のメキシコでスターリンの放った刺客によって暗殺されました。トロツキーの世界革命思想を受け継いだユダヤ系トロツキストたちが、移民先のアメリカで民主党左派の中核となり、二十世紀版世界同時革命思想であるグローバリズム――つまりは世界統一政府――を目指したのです。

その後、民主党のケネディ大統領がソ連との融和政策を取り始めると、東西冷戦下でソ連の非ユダヤ系共産主義勢力との対決に携わっていたネオコンの一部は、反発して共和党に移っています。これがネオコンの実態です。つまり、彼らはトロツキーの流れを汲むグローバリストたちなのです。

この経緯から、ネオコンのロシア憎しとは「スターリン憎し」でもあります。そのスターリンを、「祖国を勝利に導いた偉大な指導者」として高く評価するのがプーチンです。一方、レーニンやレフ・トロツキーなどロシア革命を実行したユダヤ系の指導者によるボルシェビッキ革命そのものをプーチンは肯定しておらず、十一月七日の記念日（ボルシェビッキ革命の日）を二〇〇五年に廃止しました。

プーチンは、ソ連の最高指導者のなかではスターリンを評価している。では、レーニン、トロツキーとスターリンの違いは何か。前者（レーニン&トロツキー）は「グローバリスト」、後者（スターリン）は「ナショナリスト」ということです。

そこにプーチンがスターリンを評価する理由があります。プーチンは公言してはいませんが、スターリンがユダヤ系革命家たちを次々に粛清して、非ユダヤ系革命家たちの手にソ連共産党の主導権を移転させた点にスターリンを評価する最大の理由があると見られるのです。ロシア研究で名をあげているプーチン嫌いの学者が、絶対に言わないことです。

二〇二一年十月にロシアの保養地ソチで開催されたバルダイ会議（ロシア版ダボス会議）において、現在西側で進行中の左翼文化革命は一九一七年のロシア革命の再来であるとして、プーチンは憂慮の念を表明し、「ロシアのボルシェビッキ革命を指導したレーニンは、私有財産の国有化のみならず、革命の障害となる家族の絆を破壊するために、女性を国有化した」と、世界の注意を喚起しています。

簡単にいってしまえば、「西側で起こっている伝統的価値の破壊や家族の破壊は、ロシア革命でレーニンがやろうとしたことと同じだ。あなたがたは大丈夫か」と心配したのです。

ここでいう「女性の国有化」とは、レーニンが発出したフリーセックス宣言に表れています。レーニンは以下のことを決めました。十八歳以上の女性は国家の所有物であり、未婚女性は当局に登録しなければならず、怠った場合は罪に問われる。十九歳から五十歳のプロレタリアートの男性のみがこれら登録女性を結婚相手に選ぶことができ、選ばれた女性は相手を拒否することができない。そして、生まれた子供は国家の所有となる。

レーニンのロシア革命が持つ非人道的性格を、これほど明確に表した宣言はないでしょう。私たちは正統派歴史学者やメディアによるロシア革命礼賛の洗脳からまだ解放されていませんが、女性国有化の一点を取ってみるだけでも共産主義の精神的異常性に気づくことができるはずです。

伝統的な価値を破壊してロシア革命を再来させ世界統一を実現しようと企てている

ディープステートにとって、伝統的価値を重視し、ロシア革命を否定するプーチン大統領は、抹殺すべき相手なのです。

ここで簡単にプーチンとディープステートの確執の歴史を振り返っておきます。プーチンはエリツィンの後を継いでロシアの二代目の大統領になりましたが、先ず手掛けたことがソ連崩壊後の新生ロシアに生まれた新興財閥オルガルヒのうちで、ベレゾフスキー（注1）、グシンスキー（注2）といったユダヤ系の有力財閥を次々とロシアから追放していったことでした。ここに、彼らはプーチンを打倒すべき敵と認定したわけです。

とりわけ二〇〇三年のホドルコフスキー事件が決定的でした。ユコスという石油会社の社長だったホドルコフスキーは、同じくユダヤ系オルガルヒのアブラモビッチが所有するシブネフチという石油会社と合併し、エクソンモービルに四十パーセントの株を売ることを計画した。ロシアの天然資源が外資に収奪される危険を察知したプーチンは、脱税の罪でホドルコフスキーを逮捕投獄、シベリア送りにしました。

これに対し、ジョージ・ソロスが音頭を取ってプーチン包囲網を策しました。二〇〇三年の暮れから東欧で起こったカラー革命（注3）です。

　プーチンとディープステートとの間が決定的に決裂したのは、二〇〇七年に開かれたミュンヘン安保会議におけるプーチンの演説によってです。そこで「ロシアはアメリカの世界統一政府構想に反対だ」とプーチンは宣言しました。つまり、「アメリカは世界統一政府を狙っている」と暴露したのです。世界のメディアはこのプーチンの警告を全く取り上げませんでした。

　ウクライナ戦争を契機に、日本は反プーチンで凝り固まっていますが、世界各国は必ずしも反プーチンで一致しているのではありません。二〇二二年十一月十四日の国連総会でロシアに戦争賠償を求める決議案が賛成多数で可決されました。反プーチン一色のわが国のメディアは、まるで鬼の首でも取ったようなはしゃぎぶりでしたが、決議に賛成したのは九十四カ国でした。反対が十四カ国、棄権が七十三カ国に及びました。

　つまり、賛成しなかった票の合計は八十七カ国にもなり、九十四カ国の賛成票とほぼ拮抗しているのです。しかも、加盟国全体で百九十三カ国ですから、欠席等を加えると賛成しなかった国が九十九票と過半数を超えるのです。こういった現実を直視していただきたいと思います。

注1　ボリス・ベルゾフスキー（一九四六〜二〇一三年）　ユダヤ系ロシア人で、エリツィン大統領時代のオリガルヒを代表する一人。二〇〇〇年に大統領となったプーチンに対抗するが、逮捕されそうになってイギリスに亡命した。二〇一三年三月、イギリスで亡くなったことが発表された。

注2　ウラジーミル・グシンスキー（一九五二年〜）　ロシアのユダヤ系企業家で、オリガルヒの「モスト・グループ」のトップ。建設、不動産、金融、メディアなどに進出し、一時は「ロシアのメディア王」と呼ばれたが、プーチン大統領時代に失速した。

注3　東欧カラー革命　東ヨーロッパのグルジア（現在のジョージア）で二〇〇三年に起こったバラ革命、翌年にウクライナで起こったオレンジ革命などを総称する用語。バラ革命は二〇〇三年十一月の議会選挙に関して、不正を糾弾するデモが国内に広がり、エドゥアルド・シェワルナゼ大統領が辞任。翌年の再選挙後、ミヘイル・サアカシュヴィリが大統領に選出

された。オレンジ革命は二〇〇四年のウクライナ大統領選挙で不正があったとして、決選投票が再実施され、野党のヴィクトル・ユシチェンコが当選した。

第四章

中間選挙が物語る「民主国家アメリカ」の崩壊

ドナルド・トランプが恐れられる理由

二〇二二年八月中旬、ＦＢＩ（アメリカ連邦捜査局）はフロリダ州にあるドナルド・トランプ邸の家宅捜査を強行し、「機密文書」を押収しました。前大統領への強制捜査というのは前代未聞の蛮行です。そして、機密文書は存在しませんでした。この見せしめ捜査は、バイデン政権、つまりディープステートが、退任したトランプ前大統領の政治力をいまだに恐れていることを明らかにした事件といえます。

「死せる孔明、生ける仲達を走らす」という諺がありますが、トランプは大統領職を退いた身なのに、まだその一挙手一投足にバイデン政権関係者は走らされている。それぐらい恐れられているのです。暗殺される危険が常にあるといっても過言ではありません。

なぜ、それほどトランプを恐れなければならないのか。答えは簡単です。不正選挙で引きずり下ろした大統領だからです。トランプ氏は選挙の敗北を認めておらず、二〇二二年十一月十五日には二〇二四年の大統領選挙に立候補する意思を正式に表明しました。彼らの恐れは現実になりつつあります。わが国のメディア報道でもトランプの主張を紹介する際、「根拠のない選挙不正」という修飾語が必ずついています。本当に根拠がないのか、簡単に分かる方法を改めて記しておきます。

アメリカの登録有権者は二億人で、過去のアメリカ大統領選挙の投票率はだいたい六十パーセント前後です。計算しやすくするために六十パーセントとすれば、一億二千万票の取り合いで、反トランプの米メディアが伝える数字でも、トランプは最低でも七千四百万を取った。すると、差し引きバイデンは四千六百万になり、三千万票近く差が開いたことになります。もっとも、米メディアによればバイデンは八千百万票取ったことになっています。そうすると、両者の合計は一億五千五百万票となり、投票率が七十七パーセントにもなるのです。いくら郵便投票で投票率が上がったと言っても前回に比べ十五パーセント、投票者で言えば三十パーセントも増えたとは先ず考えられません。

さらに言えば、二〇一六年のヒラリーや二〇一二年のオバマが獲得した約六千五百万票より千五百万票も多いなどというのも信じられないことです。

選挙運動もほとんどせず巣ごもり状態だったのに加え、選挙期間中から認知症を疑われるような失言が絶えなかった老人に、コアの民主党員は票を投じたかもしれないけれど、一般の有権者が大挙して入れるはずがないでしょう。常識で考えれば、すぐにわかることとです。たとえ郵便投票開票に当たっての不正やドミニオン集計機のアプリ不正などを知らなくても、公開された数字の意味を考えれば大規模な不正があったことは動かしがたい事実です。「不正に根拠ない」と言い張る言論人たちは、今あげた数字の意味を解説してほしいものです。

現在、トランプが共和党内で圧倒的といえる支持を得ていることは、二〇二二年の中間選挙に向けた共和党の予備選で、トランプの応援する候補者が八割を占め、その多くが当選したことに端的に表れていました。問題州において奇妙な選挙結果になっていますが、今後訴訟や再集計などで不正が暴かれていくことでしょう。メディアが発表した数字のみを頼りにして、いわゆる「レッドウエーブ（共和党圧勝）」が起きなかった理由を解説する言論人を信じることは出来ません。それについては、後ほど論じるつもりです。

反トランプ派で、チェイニー元副大統領の娘のリズ・チェイニー（注1）が下院候補者の予備選で選ばれないだろうと、『2022年世界の真実』で書きましたが、その予想通りに彼女はトランプ支持の候補に負けました。

そのリズ・チェイニーが共和党を離れて大統領選挙に出ると噂されていますが、それはいっているだけでしょう。過去にもロス・ペロー（注2）が出て、共和党の票が分裂したことがあります。しかし、リズ・チェイニーがロス・ペローほどまとまった票（一般投票の十八パーセント）を取れるはずがない。もし仮に彼女が第三党で出馬したら、共和党の票を取るよりも、民主党の票を食う可能性があり、むしろ民主党が困ってしまうだろうと思われます。

注1　エリザベス・リン・チェイニー（一九六六年〜）　アメリカの政治家で、「リズ・チェイニー」は愛称。ジョージ・W・ブッシュ政権の副大統領ディック・チェイニーの長女に生まれ、同政権下で国務副次官補（近東担当）に就任した。二〇一七年にワイオミング州で連邦下

院議員選挙に当選、三期務めたが、二〇二二年の共和党予備選でトランプ前大統領の支持を受けるハリエット・ヘイグマンに敗れ、共和党の候補になれなかった。ネオコンの一人で、トランプ政権の外交政策に批判的とされ、トランプ大統領弾劾決議に賛成票を投じている。

注2　ロス・ペロー（一九三〇～二〇一九年）　アメリカの実業家・政治家。ＩＢＭ勤務を経てＩＴ企業（エレクトリック・データ・システムズ、ペローシステムズ）を起業した。一九九二年の大統領選挙に立候補し、二大政党（共和党、民主党）以外の候補として約十八％の票を獲得したが、選挙人は一人も得られなかった。政治姿勢は共和党に近く、共和党系の票を吸収したため、民主党のクリントンが当選する一助になったといわれる。一九九六年の大統領選挙にも立候補したが、得票率が八％と振るわなかった。

アメリカで起こっている「地殻変動」

二〇二二年のアメリカでいくつかの地方選挙があり、いずれも二〇二二年の中間選挙の前哨戦に位置づけることができました。その結果を見ると、民主党が強い州で行われた選挙で、共和党候補が勝利したことが目を引きます。

たとえば、南部のバージニア州の知事・副知事選で、知事はグレン・ヤンキン（注1）、副知事はウィンサム・シアーズと、それぞれ共和党の候補が当選し、さらには司法長官選でも共和党が勝ちました。

副知事選に勝利したシアーズ氏は共和党の中では珍しい黒人女性で、「トランプ氏は人種差別主義者ではない」と言い続けています。トランプは、二〇二〇年の大統領で再選されたら、黒人コミュニティに向けて「プラチナ・プラン」という投資計画を実行しようとしていました。これは黒人コミュニティの人々に教育の機会を与え、百万人の雇用を生み出すことで、格差を解消する取り組みです。これを見ても、トランプが人種差別主義者というのは、まったくのデタラメです。

なによりも注目したいのは東部のニュージャージー州です。州上院の選挙で共和党候補のエド・デュールが当選しました。競った民主党のスティーブ・スウィーニーは、同州上院で上院議長を務めた人です。また、州知事選で現職の民主党候補に対して、共和党の候補が善戦した（注2）。ニュージャージー州は民主党が伝統的に強い州だけに、共和党候補がそこまで戦えたのは画期的といっていいほどです。

『ＷｉＬＬ』で対談した渡辺惣樹氏は、住民の多くがヒスパニック系で、民主党支持者が多数派だったテキサス州第六区の州下院補選で共和党候補が勝ったことや、二〇二〇年五月に黒人男性のジョージ・フロイドが逮捕時に抵抗し、死亡した中西部ミネソタ州ミネアポリス市で行われた「市警察を解体することの是非」を問う住民投票が反対多数で否決されたことを紹介し、「地殻変動が起こっているといっても過言ではない」と語っています。

トランプがホワイトハウスを去った後、アメリカの政治的雰囲気は完全にリベラル一色でした。そのため、共和党支持を口にすることすら憚られるほどだったけれど、さすがにバイデン政権の実態が徐々に明らかになるにつれて、「反リベラル」の声を上げてもいいという流れが生まれてきたのでしょう。

注1　グレン・ヤンキン　二〇二一年十一月のバージニア州知事選で、共和党候補のグレン・ヤンキンが民主党候補で元州知事のテリー・マコーリフを破り当選した。ウォールスト

リートジャーナルによると、二〇〇九年の州知事選で勝ってから、同州で共和党候補が当選したことはない。

注2　ニュージャージー州知事選で共和党の候補が善戦　二〇二一年十一月、ニュージャージー州知事選で、民主党候補で現職のフィル・マーフィーが共和党候補のジャック・チャッタレリを破って再選したが、ＡＰ通信は「僅差」「マーフィー氏にとっては予想外の接戦」と伝えている。

トランプは何と戦っていたのか

アメリカのメイン・ストリーム・メディア（大手メディア）は、バイデン政権の失政ぶりを庇い続けることが難しいと判断したのか、ほどほどに批判するようになりました。ただ、バイデンを批判する場合は、同時にトランプも批判している。そして、日本のメディアは、その報じ方をそのまま受け取っています。産経新聞もそうです。前述したバージニア州知事選について「ヤンキン氏が勝利を収めたのはトランプ色を薄めたからだ」とし、「教育と人種問題をからめた主張は、トランプ氏に不信感が拭えない無党派層と同時に、トランプ人気が根強い共和党支持層を取り込むためだ」と結論づけています（二〇二二年十一月四日付）。

トランプを批判しなければ、メイン・ストリーム・メディアとの関係が絶たれることを恐れて、トランプ批判という免罪符を後生大事に守っている感があります。

もう一つ、産経新聞の記事を取り上げると、二〇二二年九月九日付のオピニオン欄に、古森義久氏のエッセイが掲載されました。それは、トランプ大統領とその支持者を「米国と民主主義の敵」とバイデン大統領が非難したことに関するもので、民主党支持のワシントン・ポストやニューヨーク・タイムズがバイデン演説を批判したことが紹介されています。

比較的よく書かれていると思うのですが、「バイデン氏は二四年の大統領選に出たいが、支持率や年齢のためトランプ氏が立たない限り、民主党候補にはなれない。バイデン氏のいまの長所は前回、トランプ氏に勝ったという実績だけなのだ」として、二〇二〇年の大統領選挙は不正でなかったことを臭わせている一文は余計です。アメリカでジャーナリストとして生きていくために、どうしても書かなければならないのでしょうか。

トランプが立候補しようとしまいと、バイデンが民主党候補になれるとは思えないのですが、それはさておき、このバイデン発言に対して、「前回選挙で、トランプ氏に投票した七千数百万人の米国民に対する誹謗だから、バイデン氏は謝罪すべきだ」と共和党の下院院内総務が表明したことを古森氏が引用しています。謝罪云々よりも重要な点は「最低でも七千四百万票をとった大統領は、歴代で一人もいない」「あの選挙はトランプの地滑り的勝利だった」というべきでしょう。

もっとも、古森氏は今回の中間選挙に関して二〇二二年十一月二十一日付産経のコラム「あめりかノート」で、他の記者が敢えて触れようとしない下院を共和党が奪還した意義を指摘しておられ、興味深く感じました。下院運営の主導権が共和党に移る結果、共和党は民主党が主導して下院に設置したトランプ支持派による米議会襲撃事件での責任追及の特別委員会を閉鎖する方針であることや、ハンター・バイデン汚職事件への調査を開始し、バイデン弾劾まで視野に入れていることなどを挙げて、「下院での主導権の逆転が、バイデン政権の後退となることは不可避だろう」と論じています。

ともあれ、前述の対談で渡辺惣樹氏が「トランプ氏が何と戦っていたのか、米国民がようやくわかってきた」といわれたことは印象的でした。

「CRT（批判的人種論）」や「キャンセル・カルチャー（粛清文化）」「一六一九年プロジェクト」（アフリカ黒人奴隷がはじめて米国独立前のバージニア植民地に連れてこられた年であり、米国の「真の建国」はその年であるとする運動）など、フランクフルト学派など一連の文化的マルクス主義運動とトランプは戦いましたが、背後でこれらの運動の首謀者たちが暗躍していることを見逃してはなりません。それは、政界、学界、マスコミに深く蔓延っている「マルクス主義者」と、その亡霊です。

前著『2022年世界の真実』の「はじめに」で、「ヨーロッパに幽霊が出る——共産主義という幽霊である」（『共産党宣言』）をもじって、今や「世界中に幽霊が出る。ポリティカルコレクトネスという幽霊である」と警告しましたが、トランプ氏が大統領時代から今日まで身を呈して戦っているのは、アメリカを共産主義化（社会主義化）しようと工作している勢力なのです。今回の中間選挙においても、これらの共産主義勢力は執拗な不正を働きました。

今回の中間選挙は「第二のロシア革命」の前兆か？

本書の「はじめに」で述べたように、二〇二二年十一月八日に行われたアメリカ連邦議会の中間選挙は、十一月二十日現在、下院は共和党が辛うじて過半数を超える二百十九議席を獲得し、上院は十二月六日のジョージア州での再選挙の結果を待たずに、民主党が過半数を押さえる結果となりました。そもそも、このような結果自体、疑問を生むことになっています。

通常、大統領就任後の最初の中間選挙は大統領に対する信任投票の意味合いもありますが、これまですべての大統領が与党の議席、特に全議席が改選となる下院の議席をかなり落としてきたのが共通してみられてきた傾向でした。それにも拘らず、今回の中間選挙が注目を集めたのは、二〇二〇年の大統領選挙で、民主党側による大規模な不正のため追放されたトランプ大統領率いる共和党が、上下両院を制するかに関心が強まったからです。トランプが事実上復権すれば、現在の世界の無秩序状態が改善されることに繋がるであろうと、世界が期待したからでした。

事前の各種世論調査による共和党圧勝（レッドウエーブ）の予測に反して、報道ベースとはいえこのような事態になっているのは、またしてもいわゆる激戦州を中心に民主党側によって悪質な「不正選挙」が行われた可能性があることを物語っています。例えば、アリゾナ州では投票所で投票マシーンの故障が発生して、投票者の長蛇の列ができ諦めて引き返した有権者や、選挙職員が違法である別の投票所に行くよう誘導したことが明らかになっています。そもそも、選挙当日投票マシーンが故障する偶然が発生するものでしょうか。当日投票者には共和党支持者が多いことなどを勘案しますと、明らかに不正であることがわかるではありませんか。その他前回の大統領選挙で大規模な不正が行われた各州の上院選挙を見れば、ジョージア州では人気が無い民主党候補が善戦して再選挙に持ち込み、ペンシルベニア州では人格面で議員としての的確性に欠ける民主党候補がトランプの支持する共和党有力候補に勝ち、ネバダ州では選挙数日後にやっと民主党候補の当選が伝えられるなど、俄かには説明不可能な事態が頻発しています。

今後さらに多数の不正事案が暴露されることが予想されますが、反トランプに偏重したメディアの報道には今後とも注意が必要です。なお、中間選挙の不正の実態については、渡辺惣樹氏と私との対談本『謀略と捏造の200年戦争』(徳間書店)での渡辺氏の見解が大いに参考になりました。ご関心ある方にお薦めします。

トランプVSディープステート

中間選挙を取り巻くアメリカの国内情勢は、バイデン政権に不利な材料が山積していました。選挙民の最大の関心事である経済状況は、ガソリン価格を筆頭にインフレが昂進しており、不法移民の増大や治安悪化などによる社会不安が深刻化し、また認知症疑惑を抱えるバイデン大統領の失言癖や指導力の欠如等々、どこから見てもバイデン支持が高まる要素は見て取れません。そのバイデン氏が、中間選挙で歴代のどの大統領よりも議席喪失率で好成績を収めたなど、小学生でも信じることができないでしょう。例えば、国民的人気があったレーガン大統領（注1）でさえも、下院で前回の中間選挙に比べかなり議席を失っているのです。オバマ氏はじめ他の大統領も基本的にこのような傾向にありました。

こうしてみれば、バイデンが有利になるような不正が行われたことが、常識的に見抜けるわけです。

以上要するに、二〇二〇年の大統領戦以来アメリカにおける選挙の公平性は消滅しました。民主主義を担保する自由で公正な選挙が存在しなくなったということは、アメリカは最早、民主主義国ではないということを証明しています。トランプ氏はアメリカに民主主義を取り戻そうと、下野した後も精力的に政治運動を続けてきました。それ故に、アメリカ民主主義を破壊したディープステートにとって、トランプ氏はどうしても排除しなければならない存在だったのです。共和党が勝利すること自体が問題であったわけではありません。トランプ氏が共和党の実権を握っていることが問題だったのです。その意味で、今回の中間選挙は、トランプ対ディープステートの戦いでした。

注1　ロナルド・レーガン（一九一一～二〇〇四年）　アメリカの俳優、政治家。映画俳優だったが、カリフォルニア州知事を経て、一九八一年にアメリカの第四十代大統領となる（任期は一九八一年～一九八九年）。高齢の大統領就任として歴代二位。「レーガノミクス」と呼ばれる経済政策を実行して、経済を回復させる一方で、ソ連を「悪の帝国」と批判して共産主義陣営に対抗し、退任した年にベルリンの壁が崩れ、欧州方面での東西冷戦が終結に向かった。

ボルシェビッキ革命の再来

以上見てきたように、二〇二〇年の大統領選挙と今回二〇二二年の中間選挙は少数派が多数派を不正選挙でねじ伏せて実権を握ったというクーデターに相当します。これはかつてロシアにおいて一九一七年十一月に議会少数派であったレーニン率いるボルシェビッキが合法的に選出されていた議会を暴力で解散せしめて権力を掌握し、共産党独裁政権を樹立した故事を彷彿させます。現在のアメリカにおいて、ディープステートは民主党を操り、事実上独裁政権を樹立したと言えます。

私たちは、アメリカは依然として自由と民主主義の国であると信じ込まされていますが、実態はディープステートによる独裁国家であるということが今回の中間選挙を通じて改めて明らかになりました。今や、アメリカ国民には自由な権利の行使は認められていません。行政府、立法府、司法府の三権を握ったディープステートは、アメリカ合衆国存立の基盤である憲法の三権分立の枠組みを破壊してしまいました。今後ピープルが今次の選挙結果に抗議して立ち上がることも想定され、アメリカは南北戦争時のように国家が分裂する危険性も否定できなくなりました。アメリカの民主主義の消滅と国家の分裂は、ディープステートにとって世界統一への最大の障害がなくなることを意味します。

今後差し当たり、ディープステートは共和党の切り崩しにとりかかるでしょう。トランプ派議員にトランプ支持を止めるよう様々な工作を行うことが想定されます。つまり、今回共和党が振るわなかったのはトランプの所為であるとの洗脳です。現に、今回の選挙結果を受けトランプ支持の撤回を表明した有力共和党政治家が現れてきました。トランプ支持を続けるのか、それともディープステートの庇護に甘んじて選挙での勝利の保証を得るのか、の選択を迫られているのです。

ピープルの目覚め

ボルシェビッキは嘘と暴力で政権を奪取しましたが、七十年後には国民の目覚めにより崩壊させられました。ディープステートもポリティカルコレクトネスを喧伝するメディアを通じて、アメリカ国民に自信を喪失させた結果、権力奪取が可能となったわけです。ならば、その反対の作戦をピープルは取ればよいのです。アメリカ国民として、アメリカ建国は最初の黒人奴隷がバージニア植民地に連れてこられた一六一九年であり、以降白人による黒人差別がアメリカ史の柱であるとの自虐史観を脱却し、合衆国憲法にある一七七六年の建国の精神に立ち戻ることです。過去を否定することが共産主義革命を成功させる土壌でした。

とするなら、アメリカのピープルたちが先人たちの汗と努力の結晶である過去の歴史に敬意をもって接することが、共産主義独裁主義者の嘘を見破り、民主主義国アメリカを取り戻すことに繋がる最後の希望と言えると思います。それだけアメリカの共産主義化は目前に迫っているのです。

ＦＢＩとソ連の秘密警察は同じ穴の狢

ところで、ＦＢＩが政治的に公正な捜査機関、すなわち「巨悪をやっつける正義の味方」であると、私たちは洗脳されています。それゆえ、ＦＢＩの正体を見破ることが妨げられているのです。

ＦＢＩとは「Federal Bureau of Investigation」の略称ですが、実態はその名が示すような連邦捜査機関ではありません。むしろ今日のＦＢＩは、かつての共産主義国ソ連における政治秘密警察のごとき存在です。

ソ連の秘密警察だった内務人民警察は、共産革命の反対勢力を摘発するための政治警察でした。ソ連の人民の生命財産を守るためではなく、彼らを常に監視して共産党にとっての危険分子を恣意的に逮捕・処刑する役割を担い、無辜の庶民を恐怖のどん底に陥れました。

ＦＢＩは民主主義憲法を有するアメリカ連邦政府司法省の指揮下にある捜査局と位置づけられており、民主的に選ばれた政権の党派性を超えた捜査機関という建前で運営されています。したがって、アメリカ国民のみならず、世界はＦＢＩの公正さを信じ込まされています。しかし、そのＦＢＩが、実はアメリカを陰から支配するディープステートの利益に奉仕する政治的に偏った捜査機関であるとの正体が暴露されれば、アメリカ国民がＦＢＩの存続を許さない事態に発展する可能性もあります。現在のＦＢＩをソ連の内務人民警察と比較すれば、ソ連の方が恐怖を公然とばらまいていた人民弾圧機関ではありましたが、政治的目的を同じくする視点からすれば、両者は同じ穴の狢《むじな》なのです。

ただし、見方を変えると、ＦＢＩの方がより質《たち》の悪い存在です。なぜなら、ソ連の秘密警察は人民弾圧機関であるとの正体を隠していないのに対して、ＦＢＩはディープステート専属の捜査機関であることを国民の眼から隠し、民主的な捜査機関であることを装っているからです。

このことは、奇しくも民主主義国において専制的権力を国民にそうと気づかれずに行使する秘訣を教えてくれます。この秘訣を公言したのは、拙著『歴史は繰り返す』（ワック）などで取り上げたエドワード・バーネイズです。歴史教科書にはまず登場しないバーネイズという人物は、世界に向けてアメリカにおけるディープステートの存在を明らかにした張本人なのです。

彼はウィルソン大統領直轄の広報委員会でアメリカ国民をドイツとの戦争に誘導する世論工作に従事し、一九二八年に刊行した自著『プロパガンダ』（邦訳『プロパガンダ教本』成甲書房）で、「民主主義を前提とする社会においては、一般大衆の持つべき意見を相手に意識されずにコントロールできる人々こそが、現代のアメリカで『目に見えない統治機構』を形成し、アメリカの真の支配者として君臨している」と豪語しました。

私たちは教科書において、民主主義国における統治原則は国民が自由意思に基づき主権を行使することである、と習います。しかし、バーネイズは民主主義国において専制的権力を行使する方法は、国民に自由に意見を表明させることではなく、目には見えない真の支配者（ディープステート）にとって好ましい意見を自らの意見であると国民に錯覚させることだと種明かしをしたのです。

では、国民はどのようにして支配者の意見を自らの意見と誤解するのでしょうか。国民大衆は自らが社会の中でのリーダーと見做す存在の考え、例えばメディアの主張を信頼できる考えとして自らの手本とします。高名な精神分析学者ジークムント・フロイトの甥であるバーネイズは、フロイトの大衆心理学を応用して、大衆をコントロールする方法を思いついたのです。私たちがＦＢＩは正義の味方であると信じ込んでいる理由は、メディアがそのように報じているからだということになります。

民主主義国においては、国民が知らないうちに専制的支配が行われているのです。ところが、中国共産党独裁支配のような目に見える形ではないので、民主主義国の国民は専制支配の下にあることに気づかないのです。ディープステートによる専制支配が行われているアメリカを、未だに民主主義国の手本などと持て囃している親米保守の方々には、厳しく反省してもらう必要があります。

実際にアメリカの歴史を振り返ると、ＦＢＩはディープステートの政敵を倒すために利用されてきました。その代表例が「ウォーターゲート事件」でした。

現在のアメリカは三権分立が働いていない

保守派のニクソン大統領は一九七二年の大統領選挙で、左翼リベラルのマクガバン民主党候補に圧勝しました。ニクソン降ろしの陰謀がこの大統領選挙から始まります。世にいうウォーターゲート事件です。

事の発端は民主党大会が行われたウォーターゲートビルにニクソン陣営が盗聴器を仕掛けたという低俗な犯罪容疑でした。しかし、この容疑をきっかけにニクソン大統領に対するメディアの非難が強まることになりました。

とりわけニクソンを追い詰めたのはワシントン・ポストの報道です。ボブ・ウッドワード記者による政府機密文書のすっぱ抜きが連日紙面を賑わしました。これら機密文書をウッドワード記者に流していた情報源の「ディープスロート（内部告発者）」は、なんと現職のＦＢＩ副長官マーク・フェルトでした。これはＦＢＩがディープステートの手先だったことを示しています。

そこからわかるのは、ニクソンはディープステートの核心的利益を損《そこ》ねたために、ホワイトハウスを追われたと推察されることです。

核心的利益とは何かを巡って、ウォール街金融資本家の税務調査を計画していたことが取り沙汰されていますが、イギリスの逆鱗に触れたことを匂わせるエピソードを、ニクソン自ら自著『指導者とは』（文藝春秋）の中で明かしています。

同著の中で、ニクソンはイギリスの影響力が強い国では、イギリスの外交官がアメリカの外交官よりも優秀であると述べた後、アメリカの大統領といえども万能ではないのでヨーロッパ首脳の意見をよく聞く必要がある、それも事後報告ではなく事前の協議が必要だと強調しているのです。この文章を読めば、ニクソンはイギリス首脳に相談せずにイギリスの権益がかかる案件を扱ってしまったことを反省しているように読み取れます。さらに言えば、自分を辞任に追い込んだのはイギリスであることを仄めかしているのです。

ニクソン追い落としのためにFBIとワシントン・ポストが組み、メディアの独占スクープという「民主的方法」を装って、政敵を倒そうとしたわけです。その経緯は、ボブ・ウッドワードが、『ディープ・スロート 大統領を葬った男』（文藝春秋）で自ら明かしています。

また彼は、トランプに対しても、『FEAR 恐怖の男 トランプ政権の真実』（日本経済新聞出版）などを書いて批判の矢を放っています。

最近の例では、トランプ大統領が二〇一六年の大統領選挙の際にロシアと共謀したというロシアゲート事件がそうです。トランプ政権のセッションズ司法長官は「本件に関与しない」と逃げてしまったため、副長官のロッド・ローゼンスタインが特別検察官にモラー元FBI長官を任命しました。モラー特別検察官の捜査は二年に及びましたが、最後まで共謀の証拠を示すことはできませんでした。

ロシアとの選挙共謀疑惑をでっち上げたのが当時のコミーFBI長官ですが、これら三人のキーパーソンはみなユダヤ系です。さらに、実際の捜査にあたった捜査官の多くは反トランプのユダヤ系でした。ちなみに、ウォーターゲート事件では、マーク・フェルトもウッドワードもユダヤ系、ワシントン・ポストの当時の社主キャサリン・グラハム（注1）もユダヤ系です。

トランプ大統領の選挙活動期間から始まり、大統領就任直後にはフリン安全保障担当補佐官を駐米ロシア大使との接触問題で騙して起訴に持ち込み辞任させるなど、FBIの党派性による捜査は四年間、終始トランプ大統領の足を引っ張り続けました。今回の自宅への強制捜査も、不正選挙で退任させられたトランプ氏の復権を恐れるディープステートによるFBIを使ったトランプ潰しであることを見抜かなくてはなりません。

ちなみに、ディープステートの力は今や司法機関にも及んでいます。

二〇二二年にアメリカの最高裁判所は、人工中絶の可否は各州で決めるべき問題であるとして、従来の連邦マターであるとの判断を変更しましたが、これは女性の中絶の権利を侵害するもので、トランプ大統領のときに保守派の判事を増やした影響だと報じられました。

しかし、最高裁が保守的になったとはいいかねます。たとえば、ロバーツ最高裁長官は保守系とされているけれど、違います。前回の大統領選挙に対する不正州以外の州からの訴えを受理しないと仕切ったのが、ロバーツ最高裁長官でした。このように、ロバーツ長官はディープステート派なのです。正確に言えば、現在の最高裁の色分けは保守五対リベラル（ディープステート派）四と拮抗した状況にあるのです。もし、バイデン政権任期中に保守派の判事が死亡ないし引退した場合、保革が逆転することになります。

現在のアメリカは、行政府と立法府と司法府がお互いに牽制し合うという三権分立が働いていません。事実上、全部ディープステートが握っている。その事実を隠すために、三権が適宜互いに牽制しているように見せかけているわけです。何度も繰り返しますが、そういう意味では、アメリカは専制国家というよりほかにありません。

ただし、ソ連や中国のように共産党がストレートに統治するスタイルは、二十一世紀の民主主義国で通用しません。したがって、如何にも国民に主権があるように思わせて、自分たちが権力を行使する。言い換えれば、民主主義を建前として、国民を独裁統治する。これがディープステートのやり方なのです。

注1　キャサリン・メイヤー・グラハム（一九一七〜二〇〇一年）　アメリカの新聞発行者。一九六三年から『ワシントン・ポスト』の発行者を務め、二十世紀のアメリカにおける主要新聞社で初の女性発行者だった。

「レーガン・デモクラット」と「リパブリカン・イン・ネーム・オンリー」

ところで、アメリカの議会は、「この法案に関しては賛成」あるいは「この法案に関しては反対」と、議員個人の考えで投票することがしばしばあります。

レーガン大統領時代のことですが、下院・上院で民主党が多数派だったにもかかわらず、レーガンの政策に賛成する民主党の議員（レーガン・デモクラット）がいたので、実質的に議会で過半数の支持を得たケースが何度も生じました。

今の共和党にもリズ・チェイニーのように、「バイデン・リパブリカン」（一般的には

「リパブリカン・イン・ネーム・オンリー」RINOといわれます）と呼べる人が何人かいます。

アメリカは形式的に共和党と民主党に分かれているけれども、本来、それほど対決していません。だから、レーガン大統領の政策がよければ、民主党の議員でも賛成した。それは逆もまた然りです。民主党の大統領でも、アメリカの国益にとっていいと判断したら、共和党の議員がたくさん賛成し、全会一致に近いような形で法律が通ることもあるのです。

二大政党というと、二つの大政党が違う政策を持ってやっているとわれわれは思いがちだけれど、その根源にあるのは「ディープステートの利益」です。それを「ピープルのための政治」としたのがトランプであり、事実上、予定調和の二大政党制を壊しました。

だから、一期で引きずり下ろされた。いや、一期どころか、トランプが大統領選挙で当選した翌日から、大統領に就任させないという工作が始まっていました。上述したさまざまな偽装スキャンダルが連日報道されたのです。

また、就任前に暗殺された場合、大統領はヒラリーになる。あのときは無事にトランプが大統領に就任するかどうかが大きな関心事でもあったのです。

残念ながら、二〇二〇年の大統領選挙以降のアメリカは民主主義国ではありません。遡れば、ディープステートがアメリカを牛耳りはじめたウィルソン大統領のときから、民主主義国でなくなる道を歩んできた。そのやり方は、前述したように、メディアを押さえて、国民に気づかれずに洗脳するのです。

彼らはメディアと司法を押さえ、政治家はお金で押さえているから、事実上アメリカを押さえたことになる。表には見えないけれど、アメリカは専制国家であることを改めて強調しておきます。

二〇二二年十一月十五日に、トランプ大統領は二〇二四年の大統領選挙に出馬することを宣言しました。民主党はトランプならやり易いと強がりを言っていますが、ならば何故退任後これまでトランプを誹謗中傷し続けてきたのでしょうか。トランプこそ現在の陰のエスタブリッシュメントのディープステートにとって最大の脅威なのです。

今後、トランプ対ディープステートの戦いは一層激しさを増すことでしょう。それは同時に、世界中のピープルと、「グレートリセット」によって世界統一を画策している世界のエスタブリッシュメントとの最終戦争でもあるのです。

おわりに――ディープステートが狙う「次の火種」は日本か？

食糧危機が起こる

二〇二三年は現在の延長線上にあります。二〇二〇年から二〇二二年まで新型コロナウイルスで世界経済の混乱が続きましたが、コロナ禍そのものは徐々に落ち着きを取り戻しています。しかし、ウクライナ戦争によって、食糧問題や資源問題などがクローズアップされるようになってきました。ディープステートは次に何をやろうとしているのか？

まず、今、叫ばれている食糧危機は、二〇二三年には現実のものとなるでしょう。食糧危機はかねてから指摘されてきたことですが、ウクライナ戦争の結果、食糧危機に対する恐怖が広がりました。その意味で、ウクライナ戦争は予行演習ともいえます。これまでのパターンを見ると、彼らは実験してみてから、狙ったところに持っていくケースが目立ちます。

コロナなどの病気は生存そのものに関連しますが、食の問題もまた生存と深く関わる。だから、今後はたぶん食を突いてくるのではないかと、私は見ています。

ただし、彼らの狙いは食糧危機に乗じて、アメリカが如何に農薬まみれの農産物、あるいは遺伝子操作した食べ物を、日本も含めた各国の人たちに食べさせるかという方向にいく可能性があります。

特に二〇二三年から大々的に行うと思われるのは、遺伝子操作した食べ物を世界中で広げることでしょう。

日本では二〇二三年四月から、原則として、遺伝子操作に関する表示が緩和されることになります。つまり、消費者が「遺伝子操作された食物かどうか、判断しにくくなる状況」がつくられるわけです。

アメリカから輸入した作物は、だいたい遺伝子操作されたものと見て間違いないでしょう。それを食べさせられると、どうなるか。われわれ日本人が伝統的に持っている免疫力が弱体化されていくのです。遺伝子操作は技術的な問題と思われがちだけれど、自然の摂理に反したものであるので、健康への悪影響が懸念されるのです。

加えて、日本は添加物の問題が深刻だと思います。世界で禁止されている添加物で、日本はOKしているものがある。だから、コンビニのものは食べてはいけないという人もいます。手元にある菓子を見ると、膨張剤、ショートニング、乳化剤、PH調整剤、増粘剤等々が表示されています。

しかし、それがどういう危険なものなのか、名前だけでは一般の人がわからない。本来日本人の健康を守るはずの厚労省が、事実上日本人の非健康化を推進するというばかげたことが横行しているのです。

それならば、私たち自身が自衛する必要があります。高度な栄養学など知らなくても差し支えありません。先人の知恵に学べばよいのです。日本の発酵食品を重視した伝統食に回帰することです。

ディープステートの狙いは人口削減

先に見たように、食の問題におけるディープステートの狙いは人口削減です。

日本では人口減少が続いてきました。現在、出生者が年間八十万人を切る一方で、概算で百万人が死んでいます。しかも、新型コロナウイルスが流行した一年目はそれほど減らなかったのに、ワクチンを打つようになってから減ったといわれます。二〇二二年一月の統計では、例年の平均よりも二万人ぐらい死亡した人が多いのです。

常識的に考えて、突然がんで亡くなる人が増えるわけではないし、他の病気が増えるわけでもない。あれはワクチン死ではないかと私は見ています。

今、私ぐらいの年代の人はどんどん亡くなっている。それも突然亡くなる。ワクチンを打って、気分が悪くなったので横になったら、そのまま死んだという話が口コミでかなり入ってくるのですが、それは一切メディアに出てきません。ワクチンを打って一時間後に死んでも原因不明とされるのです。

ワクチンを打たれたけれども、日本は死者の割合が比較的少ない。まだもちこたえているのは、伝統的な食品のお陰だと、私は思っています。

新型コロナウイルスに関していうと、感染者といってもＰＣＲ検査で陽性反応が出ただけでしょう。ほとんどの人は無症状だと思うのですが、発症して初めて感染者とすべきです。ところが、陽性反応が出た人をもって感染者と数えている。これはおかしい。

また、ＰＣＲ検査の陽性反応は、何に対する陽性なのかがわからないのです。新型コロナウイルスかもしれないし、そうでないかもしれない。また、感染していても発症していないかもしれません。ＰＣＲを発明した医者キャリー・マリスは、ＰＣＲをコロナ検査に使ってはいけないといっていました。しかし、彼は不審死しました。これは陰謀論でなく、ファクトです。

市販の不織布マスクで防げるのは塵の類いで、ウイルスの感染を予防するには隙間が大きすぎて効果が無いのです。道路工事の作業員が仕事をするときにマスクをつけるのと同じ意味で、私も人混みに行ったときや家のなかを掃除するときにマスクをします。しかし、普通に外を歩くときはつけません。ウイルスを防げないからです。厚生労働省が「外を歩くときはマスクを外していい」といっても、多くの人が外さない。田舎の山奥まで、みんなマスクしています。これは驚くべきことだと思います。

この状況を見て、アメリカの製薬企業は次のターゲットを日本に絞った可能性があります。モデルナの日本工場建設が物語っています。今後十年間にわたり、日本はモデルナ製ワクチンを買わされ、打たれ続ける危険があります。その結果人口削減が加速されることは自明の理と言えます。

以上に述べたように、「お上のお触れ」に従順な性格はどこに原因があるのでしょうか。恐らく聖徳太子の十七条憲法の三条にある「詔《みことのり》を承《う》けては必ず謹め」の影響を受けていると思えてなりません。ここに言う「詔」は直接には天皇陛下の命令を指しますが、元をただせば神々のお言葉のことです。だから、私たちの祖先である神々のお言葉には素直に従うのが正しい態度とされるのです。このテーマにご関心のある方は、参政党代表の松田学氏と私との対談本である『日本を危機に陥れる黒幕の正体』（宝島社）をご参照ください。

東アジアの不安定化は日本から？

東アジアの局地的な紛争として「台湾有事」はないのに対し、朝鮮半島の方が危険性が高いことは既に申し上げてきたところです。朝鮮半島危機には備える必要がありますが、同時に日本国内の危機にもピープルが目覚める必要があります。

二〇二一年十月四日に発足した岸田文雄内閣のキャッチフレーズは「新しい資本主義」。一言でいえば、デフレからの脱却を成し遂げ、中間層の拡大を目指すという触れ込みで船出しました。素直に受け取れば、岸田総理は東西冷戦後のいわゆる新自由主義、つまり日本の市場をグローバル資本に開放するグローバリズムがもたらした経済格差などの負の側面を是正することを目指しているように思えました。だからこそ、「新しい資本主義」は必然的に新自由主義との決別を意味したわけです。具体的には、成長を追求して分配を重視する経済への転換を目指すものと考えられました。

しかし、その後の実際の経済政策を見ると、新自由主義からの決別どころか、益々新自由主義経済、いわば日本市場の外資への開放を進めているのです。例えば、二〇二二年十月三日に行われた所信表明演説を聞くと、まるで最先端の新自由主義経済政策、すなわち21世紀版共産主義政策を進めると宣言しているような印象を受けるのです。

最優先の課題として日本経済の再生を掲げ、「新しい資本主義」の旗印の下で、物価高・円安への対応、構造的な賃上げ、成長のための投資と改革の三点を重点分野として取り組む意思を表明していますが、特に成長のための投資と改革が外資頼みなのです。国民が聞いてもさっぱり内容を理解できない外国語の羅列が続きます。そこには日本の視点が全く欠如しています。

社会課題を成長のエンジンへと転換し、持続的な成長を実現させるとの考えの下で、投資を促進するというのですが、そもそも社会課題とか持続的成長とかのポリティカルコレクトネスからは、国民一般に裨益《ひえき》する経済成長を望むことなど不可能です。案の定、官民の投資を加速させる重点事項四分野に、科学技術・イノベーション、スタートアップ、グリーントランスフォーメーション（GX）、デジタルトランスフォーメーション（DX）と横文字が羅列されており、聞いていた議員の方々も煙に巻かれたような心境だったのではと思ってしまいます。

横文字は不都合な中味を糊塗《こと》するために使われることが良くあります。例えば、コロナ騒動の際、盛んに使われたソーシャル・ディスタンス、テレワーク、ロックダウン、ウイズコロナ等々の魔術にかかったような連日のメディアの報道ぶりがその典型でした。

横文字の連発は真の意味を十分理解していないという欠点がありますが、最も危険に感じられたのは、「新しい資本主義」を支える基盤に共産主義的ポリコレ用語である「多様性と包摂性」を掲げたことです。岸田総理は、老若男女、障害のある方もない方も、全ての人が生きがいを感じられる多様性のある社会の実現や、女性活躍、孤立・孤独対策など、包摂社会の実現へ向け取り組む姿勢を強調しました。ここに挙げられた例示事項が適切であるかどうかは大いに疑問ですが、注意すべきは「多様性と包摂性」の正体です。

前著で明らかにしたところですが、念のため繰り返すと、これらは、オバマ大統領が二〇一一年八月に発出した大統領令のコピーなのです。この大統領令は連邦政府組織全般に批判的人種論（critical race theory）に基づいた人種多様性理論教育を義務付けましたが、そのタイトルが「Establishing a Coordinated Government-Wide Initiative to Promote Diversity and Inclusion in the Federal Workforce」というもので、多様性と包摂性を促進することが謳われているのです。

もし、この用語の本来の意味を踏まえたうえで所信表明がされたのであるならば、岸田総理が言う「新しい資本主義」の基盤は批判的人種論であるという恐るべき結果になってしまいます。なぜなら、そもそも日本には人種問題は存在しないからです。アメリカでは人種多様性から性的指向の多様性へと拡大されて、米軍にＬＧＢＴを入隊させることが奨励されるようになりました。軍部から強い反対があったことは言うまでもありません。ひょっとして、岸田総理の想定する新しい資本主義社会はＬＧＢＴなど少数者を重視する社会ということになりかねません。

いずれにしても、岸田政権の「新しい資本主義」の下では、安倍総理の遺言である「日本を取り戻す」ことは不可能です。「新しい資本主義」は伝統ある日本の解体を目指していると言われても仕方ないでしょう。

ウクライナで行き詰まったら、中東のどこかで問題が起こる

ところで、ウクライナ戦争は東部二州と南部二地域のロシア併合住民投票によって事実上終わっています。あとは、ウクライナの面子も立てながら、どのように停戦に持っていくかだと思います。西側の報道によれば、ウクライナ軍が反攻に出ているとのことですが、それはおそらく「ウクライナも頑張った」ということで、停戦に持っていく作戦という感じがします。

では、ウクライナ戦争が終わったら、次はどこに火がつけられるのか。

今は中東にあまり関心が向けられていませんが、ネオコンがウクライナを使ったプーチン追放作戦で行き詰まったら、中東のどこかで紛争が起こる可能性が高いと思われます。ロシアでうまくいかないと、中東で紛争を起こすというのが二〇一四年のウクライナ危機以来のパターンです。

一時はイラクで起こりかけましたが、今のところ収まっています。今度はイランかもしれません。イランをどういうふうに使うのはわかりませんが、口実はいくらでもあります。その一つは、やはり長年の懸案となっている核兵器の開発でしょう。イラクのフセインを倒したのと同じ口実を使えるわけです。つまり、イランがウランの濃縮度を上げている事実があれば、それをもって「核兵器を作っている可能性が高い」といって、イスラエル空軍あたりがイランを攻撃する……。かつてイスラエルは、イラクの原子炉を爆撃したことがあります（注1）。

中東で紛争が起これば、日本にエネルギー問題が生じます。現在の電力は石油、天然ガスへの依存が大きいからです。そのような事情から、原子力発電を重視する意見がありますが、日本は原発に向いていないと思います。地形を考えたとき、日本のどこに立地しても原発は地震に遭う危険性があり、しかも水の近いところに立地しないといけないからです。

福島第一原発で事故が起こった後、いつの間にか、再生可能エネルギー重視の方向にいってしまいました。しかし、原発が日本に向いていないことと、再生エネルギーを電力源にすべきだということは、全く次元の異なる話ですし、現段階では太陽光発電と風力発電がメインとされていることも大きな間違いです。太陽光パネルは環境破壊をもたらし、全工程を見るとCO_2を多く出しています。仮にCO_2が地球温暖化の原因だとするならば、太陽光発電は望ましい電力源ではないのです。

山の木はCO_2を吸収してくれるのに、山を切り開いて、事実上CO_2をたくさん出すような太陽光パネルを設置するなど、本末転倒というよりほかにありません。小学生でもわかるようなことを政治家がやっているのは、金儲けのためでしょう。

日本が利用すべき再生可能エネルギーは、地熱発電です。ところが、これが一番遅れている。その原因は国立公園法の規制があるからだそうですが、これは「やらないための口実」に過ぎません。太陽光パネルや風力発電装置の隣国からの輸入利権に与党の大物政治家が絡んでいるからです。

ただし、再生可能エネルギーはあくまで補助電源です。地熱はすぐに冷めることはないけれど、風は吹かないときがあるし、ましてや太陽光パネルは雨の日に発電できず、日射量の少ない冬は能力が低下します。

石炭火力発電は日本の技術でかなり環境への負荷は減ったし、石油と天然ガスを使う火力発電も技術が発達しています。使えるものは使えばいいのです。

ドイツは原発を廃止すると言い続けていました。再生可能エネルギーで賄えるはずがないので、フランスから原発の電気を買っているし、ロシアの天然ガスに依存せざるを得なくなりました。ところが、今度のウクライナ戦争でロシアへの依存を止めようとしたら、石炭火力発電所を稼動させるしかなくなり、原発の稼働停止も一部延期にしたりして、現実的な対応を取り始めています。

なお、CO_2の増加云々で地球が温暖化するはずがありません。地球温暖化の原因は、地下のマグマが活発化していることです。だから、海水の温度が上がっているのです。

注1　イラク原子炉爆撃　一九七〇年代、フランスから技術供与を受けて、イラクがタムーズで原子力発電所の建設を始めた。これによってプルトニウムがつくられ、核兵器開発に使われることを懸念したイスラエルは、各所の妨害工作を行ったが、止められないため、一九

八一年六月に建設中の原子力発電所を空爆して破壊した（イスラエルの作戦名は「バビロン作戦」）。

「新しい資本主義」へのチャレンジは頓挫

国難の時に私たちの先達が発揮してきたのは、新たな事柄に挑戦することではなく、復古することでした。復古することによって現在直面する問題点の本質がよく見えて来るわけです。経済成長によって分配を増やすというのなら、実は日本型経営形態こそ、この理想を実現していたのです。

かつて、バブル崩壊まで機能していた日本型経営方式（疑似家族共同体的な企業経営）においては、終身雇用や年功序列などによって会社の発展と社員の所得は連動していました。日本型経営は成長と分配を両立させた理想的な資本主義的企業形態だったのです。だとすれば、デフレ経済からの脱却は簡単です。日本型経営方式へ復帰すればよいのです。

東西冷戦が終わると、アメリカは日本を仮想敵国のナンバーワンとして、日米構造協議という形で、構造改革による日本市場の開放を要求し、日本型経営方式を徹底的に破壊しようと努めてきました。歴代政権はアメリカの要求に抵抗することができず、市場開放を三十年間続けてきた結果、わが国はデフレに見舞われ、国民所得は減少し続けた。そして気がつけば、外資が日本経済の中枢部分に進出するだけでなく、株主資本主義が浸透して、日本企業は会社の健全な発展よりも株主への配当を優先するよう強要されるようになりました。金融庁が作成したコーポレート・ガバナンスコードにより、取締役などに外国人を高給で迎え入れるなど、日本企業のグローバル化が急激に進んでしまったのです。

金融庁と証券取引所が株主資本主義を日本企業に徹底するよう行政指導を強めた結果として、岸田総理の打ち上げた金融所得課税の強化策が、投資家からの反発に配慮して、当面見送らざるを得なくなりました。

新自由主義経済からの転換は株主資本主義との決別であり、金融庁（元々は財務省の銀行局）の激しい抵抗が予想されます。財政健全化を金科玉条とする財務省は積極財政阻止に走り、既に新たな権限となった株主資本主義を死守せんとする金融庁は日本式経営への復古に抵抗するでしょう。要するにアメリカ（新自由主義経済を世界に広めてきたディープステート）の抵抗と同義です。岸田総理の「新しい資本主義」へのチャレンジは、アメリカの反発を食らって既に方向転換してしまったと見るほかありません。

保守の再編、日本人の覚醒こそが急務

岸田内閣への支持に、二〇二二年の後半から翳りが見え始めました（注1）。いつ岸田内閣が倒れて総選挙になるかわかりません。何もやらなくても安倍元総理が陰で支えてくれていましたので高い支持率を謳歌していた岸田総理でしたが、二〇二二年七月の安倍元総理暗殺以降は、岸田総理自らが批判の矢面に立たざるを得なくなったからです。

では、誰が次の総理になるのか。保守のなかで、高市早苗氏を高く評価する人がい

ます。二〇二一年の自民党総裁選はグローバリストの岸田文雄氏、河野太郎氏、野田聖子氏対ナショナリストの高市氏の戦いで、マスメディアが無視した高市氏は議員票で二位と善戦しました。しかし、依然として最終的には数の力で決着を競う自民党の伝統的手法が改まらない限り、一匹狼的存在の高市氏が総理になれるチャンスは少ないと見ざるを得ません。高市氏にとって、党内の権力闘争に勝つための旧態依然たる方式に手を染めるのか、それとも孤高の政治家としての道を選ぶのかの岐路にあるのではと拝察します。

二〇二二年の参議院議員選挙で参政党という新しい政党がブームを引き起こし国政政党に躍進しましたが、その背景には物言わぬ保守層が目覚め始めたことが挙げられます。言いたいことがあっても黙っていた人たちが、もう黙ってはいられないと立ち上がり始めたことがひしひしと感じられる参政党現象でした。

といっても、参政党はまだまだ少数派に過ぎません。だから、左翼化した自民党にいる保守政治家が飛び出し、立憲民主党や国民民主のなかにもいる保守の政治家たちを取り込んで、真の保守政党をつくってほしいと思います。かつて自民党で左寄りだった人たち（河野洋平氏など）が離党して、新自由クラブ（注２）をつくったことがありました。それと逆に、自民党内の保守派が新党をつくるのです。自民党に自浄作用を期待することは出来ません。親中派や親韓派やグローバル派があまりにも利権に塗《まみ》れて身動きできなくなっているからです。

たとえ保守の再編がなったとしても、それだけで日本がよくなるわけではありません。二〇二三年の激動期を乗り越えるためには、私たち自身の覚醒が必要です。安倍総理の遺言でもある「戦後レジームを脱却し、日本を取り戻す」という世紀の大事業の実現のためには、私たちピープルが目覚めなければならないのです。

何に目覚めるのか。私たちのＤＮＡに連綿として流れている「大和心」に気づくことです。前著の最終章でも触れましたが、私たちが大和心という軸を固めて、グローバリズムに対処することです。グローバリズムが齎《もたら》した様々な事象の是非を自らの視点から判断することです。本書で、世界は「グローバリズム対ナショナリズムの戦い」であると分析しましたが、私たちの伝統的生き方はグローバリズムを全否定するのではなく、両者の共存を図ることです。共存とは、単にグローバリズムとナショナリズムを足して二で割る妥協を意味するのではありません。グローバリズムをわが国の伝統に合うように造り変えて、世界の調和を実現することなのです。わが国の伝統的知恵として「造り変える力」を強調したのは芥川龍之介（短編小説『神神の微笑』）ですが、実はこの力にプーチン大統領もトランプ前大統領も注目しているのです。

プーチン氏にとって、ロシアの課題はグローバリズムとスラブ民族主義との融合を図ることであり、トランプ氏にとっては世界の調和がアメリカの世界政策の目的だと国連総会で演説しているほどです。芥川の『神神の微笑』にあるように、日本の「造り変える力」はユダヤ・キリスト教的な「破壊する力」との正面衝突を避けて、各国が平和裏に共存することを可能にする知恵なのです。破壊する力を全面的に否定するのではなく、この力の一部を成す普遍的な価値を各国の伝統文化とうまく融合させて受け入れることで、二つの力の両立が可能となるわけです。現在、私たちが目撃しているような、恣意的に世界を正義と悪の勢力に二分化して、悪と見做した相手を徹底的に叩くという善悪二元論的発想では、闘争・戦争の世界しか生まれません。これに比し、各国がそれぞれの「造り変える力」を発揮することができれば、世界の調和を齎すことが可能と考えられるのです。トランプ氏もプーチン氏も世界の調和を目指していますが、これこそわが国の伝統的価値観と同じと言えます。一五四九年にキリスト教がわが国に伝えられて以来今日まで解決されていない課題――ユダヤ・キリスト教文明を造り変えて受け入れる――の解決こそ、安倍総理の悲願であった「戦後レジームを脱却し、日本を取り戻す」ことに繋がるのです。この世紀の大事業をプーチン大統領とトランプ氏と共同で日本人が行う時期が到来したと言えるでしょう。

注1　岸田内閣の支持率　ＮＨＫの報道によると、二〇二二年十月の世論調査は、岸田文雄内閣を「支持する」が三八％、「支持しない」が四三％で、内閣発足以来、初めて支持と不支持が逆転したと伝えている。その後も相次ぐスキャンダルで閣僚（三人）が辞任し、支持率は各社世論調査でも低迷下落傾向のまま推移している。

注2　新自由クラブ　一九七六年七月、自民党を離党した衆議院議員の河野洋平・田川誠一・西岡武夫・山口敏夫・小林正巳と、遅れて離党した参議院議員の有田一寿が、「保守政治の刷新」を掲げて立ち上げた政党（代表は河野、幹事長は西岡）。同年十二月の衆議院議員総選

挙では十七議席を得て、ブームを巻き起こしたが、一九七九年の総選挙で四議席に終わり、河野は代表を辞任した。その後、一九八〇年は十二議席だったが、一九八三年は八議席、一九八六年は六議席と、党勢が失速して、一九八六年八月に解党した。河野洋平などはその後、自民党に復党した。

馬渕睦夫（まぶち　むつお）
元駐ウクライナ兼モルドバ大使、元防衛大学校教授、元吉備国際大学客員教授。1946年京都府生まれ。京都大学法学部3年在学中に外務公務員採用上級試験に合格し、1968年外務省入省。1971年研修先のイギリス・ケンブリッジ大学経済学部卒業。2000年駐キューバ大使、2005年駐ウクライナ兼モルドバ大使を経て、2008年11月外務省退官。同年防衛大学校教授に就任し、2011年3月定年退職。2014年4月より2018年3月まで吉備国際大学客員教授。
著書に、『国難の正体』（総和社／新装版ビジネス社）、『天皇を戴くこの国のあり方を問う新国体論　精神再武装のすすめ』（ビジネス社）、『国際ニュースの読み方　コロナ危機後の「未来」がわかる！』（マガジンハウス）、『世界最終戦争の正体』『日本を危機に陥れる黒幕の正体』（宝島社）、『馬渕睦夫が読み解く　2022年世界の真実』『ディープステート』『歴史は繰り返す』（ワック）など多数。

馬渕睦夫《まぶちむつお》が読《よ》み解《と》く 2023年《ねん》世界《せかい》の真実《しんじつ》
安倍総理《あべそうり》が育《そだ》てた種《たね》が芽吹《めぶ》き始《はじ》める

2022年12月28日　初版発行
2023年１月26日　第３刷

著　者　馬渕睦夫

発行者　鈴木 隆一

発行所　ワック株式会社
東京都千代田区五番町 4-5　五番町コスモビル　〒102-0076
電話　03-5226-7622
http://web wac.co.jp/

印刷製本　大日本印刷株式会社

ISBN978-4-89831-876-8